COLLAGE

Conversation/Activités

LUCIA F. BAKER
University of Colorado, Boulder

RUTH ALLEN BLEUZÉ
Dartmouth College

LAURA L. B. BORDER
University of Colorado, Boulder

CARMEN GRACE
University of Colorado, Boulder

ESTER ZAGO
University of Colorado, Boulder

This book was developed for Random House by Eirik Børve, Inc. EBI

RANDOM HOUSE   NEW YORK

To Lucia

First Edition

987654321

Copyright © 1981 by Random House, Inc.

Library of Congress Cataloging in Publication Data

Main entry under title:

Collage, conversation/activités.

   One of 4 texts comprising a second-year French language program.
   Includes index.
   1. French language—Composition and exercises.
I. Baker, Lucia F.
PC2112.C657   448.2′421   80-27687
ISBN 0-394-32646-6

Production: Greg Hubit Bookworks
Editorial Coordination: Mary McVey Gill
Text and cover design: Christy Butterfield
Photo research: Roberta Spieckerman
Cartoons: Barbara Reinertson

Manufactured in the United States of America

Photo Credits

p. 9	Martine Franck/VIVA 1980	
p. 10	Pierre Boulat/Liaison	
p. 16	Serge Bois-Prévost/VIVA 1980	
p. 18	Helena Kolda	
p. 29	Culver Pictures, Inc.	
p. 30	Culver Pictures, Inc.	
p. 31	French Government Tourist Office	
p. 41	H. S. Chapman/Icon	
p. 46	Helena Kolda	
p. 48	Helena Kolda	
p. 55	H. S. Chapman/Icon	
p. 58	French Government Tourist Office	
p. 61	Helena Kolda	
p. 72	André Hampartzoumian/Icon	
p. 75	French Government Tourist Office	
p. 84	Henri Cartier-Bresson/Magnum	
p. 85	Gilles Peress/Magnum	
p. 89	Elliott Erwitt/Magnum	
p. 101	George Hunter/National Film Board of Canada	
p. 102	Helena Kolda	
p. 118	Guy LeQuerrec/Magnum	
p. 121	Bruno Barbey/Magnum	
p. 128	Janus Films	
p. 133	Max Waldman/Magnum	
p. 134	Janus Films	
p. 144	Erich Lessing/Magnum	
p. 146	A, French Government Tourist Office; C, D, Helena Kolda	
p. 147	E, G, French Government Tourist Office; H, Helena Kolda	
p. 149	French Cultural Services	

Table des matières

Introduction

The Program

Collage helps you put it all together!

This program consists of four integrated texts: *Révision de grammaire, Variétés culturelles, Lectures littéraires,* and *Conversation/Activités,* which cover all aspects of a second-year French program. The *Révision de grammaire* is the pivotal element of the series and is accompanied by a combination workbook and laboratory manual with a tape program. For maximum flexibility and coordination, any or all of the other three texts can be used in combination with the grammar and workbook according to the specific objectives of the course:

1. *Lectures littéraires* and *Révision de grammaire* develop an appreciation of literary texts while providing related grammar review.
2. *Variétés culturelles* and *Révision de grammaire* present historical and contemporary aspects of French culture—in France and in other French-speaking countries—with integrated grammar review.
3. *Conversation/Activités* and *Révision de grammaire* emphasize oral skills based on the corresponding grammar chapters—through classroom activities, games, discussion/composition topics, and vocabulary exercises.
4. *Variétés culturelles, Conversation/Activités,* and *Révision de grammaire* explore French culture and tradition with related activities and discussion/composition topics while at the same time providing grammar review.

Each of the twelve chapters of each component is interrelated grammatically and thematically with the corresponding chapters of the other components. The texts are therefore mutually supportive, each one illustrating and reinforcing the same grammatical structures and related vocabulary.

Conversation/Activités

Collage: Conversation/Activités encourages students to think, to communicate, and to use their imaginations in French. The book is designed to provide opportunities for students to examine and discuss their own opinions, beliefs, and experiences and to discover that French is a living language in which they can express those ideas and experiences. For this reason, the vast majority of the activities have no right or wrong answers, but are open-ended.

Each chapter features:

1. A brief overview of the chapter.

2. A list of *Vocabulaire essentiel*, vocabulary related to the theme of the chapter, with exercises.

3. Three activities related to the theme. One or more of these activities may be presented, depending on the needs and goals of the class. The activities may be done in small groups to maximize the speaking time of each student; if this is the case, the teacher may want to spend a few minutes working with each group; then, when everyone is finished, reunite the class to discuss the results. Whether the activities are done in small groups or by the entire class, the students should read them and formulate their thoughts on them before they come to class. Since the activities require the students to use the grammar topics of the corresponding chapter of the *Révision de grammaire*, their ability to perform the activities should indicate how well they have mastered the grammar topics.

4. *Sujets de composition*, which encourage students to explore and appreciate some of the differences and similarities between the French and themselves. These topics may be discussed orally rather than assigned as compositions; again, dividing the class into small groups will maximize the speaking time of each student.

5. *Devinez un peu*, a series of multiple-choice questions on French culture that combine facts and fun. This section may be used as a game played in "College Bowl" fashion, with teams of students answering questions that are put to them by the instructor or another student. Students can find many of the answers in the appendixes or end vocabulary of this text; other answers are assumed to be part of the students' general knowledge. Answers to the questions in this section are published in the key to the laboratory manual and tape program, available to instructors from the publisher.

6. *De Vrais Amis*, vocabulary-building exercises focusing on cognates. Following the twelve chapters are a French-English end vocabulary (*lexique*) and an appendix containing proper names and terms found in the text. By using these lists, students should be able to perform any of the activities without need of additional reference books.

L. F. B.
R. A. B.
L. L. B. B.
C. G.
E. Z.

COLLAGE
Conversation/Activités

Famille et mariage

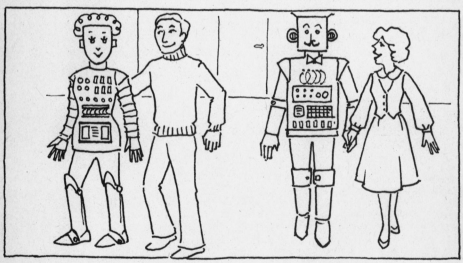

1

Vous avez beaucoup de flexibilité quant aux activités dans ce chapitre. Dans les trois premières activités, les questions posées ne demandent pas de réponses exactes. Les situations sont imaginaires, et vous pouvez répondre comme vous voulez.

La deuxième partie du chapitre présente quatre sujets de composition. Vous allez parler ou écrire au sujet de la famille et du mariage. Il n'est pas nécessaire de répondre à chaque question dans l'ordre; vous pouvez lire toutes les questions pour trouver une idée qui vous intéresse. Pour le jeu *Devinez un peu*, vous devez faire un peu de recherche; c'est la seule façon d'apprendre certains faits peu connus sur la famille et le mariage français. Et pour élargir votre vocabulaire sur ces sujets, vous allez vous amuser avec une grille de mots fondée sur *De Vrais Amis*.

Le Vocabulaire essentiel...

le but   goal, purpose

emporter   to carry, take along

l'époux (l'épouse)   spouse

l'équipe *f.*   team

l'esprit *m.*   mind, intellect

être amoureux de quelqu'un   to be in love with someone

gâté(e)   spoiled

louer   to rent

marcher   to function, to work

ramener   to bring someone back to someplace

la santé   health

la sortie   outing, trip

surprenant(e)   surprising

...et comment l'utiliser

A.   Trouvez l'équivalent de chaque expression.

1.   reconduire, faire revenir quelqu'un

2.   qui cause de la surprise

3.   une balade, une promenade, un tour

4.   l'intelligence, la raison

5.   un groupe de personnes qui travaillent ou jouent ensemble

6.   l'objectif

7.   prendre (quelque chose) avec soi

8.   une personne mariée

B. Complétez les phrases avec les mots qui conviennent.

1. Cet enfant a tout ce qu'il veut; il est _____ par sa grand-mère.

2. «Ne vous donnez pas pour _____ d'être quelque chose, mais d'être quelqu'un.»—Victor Hugo

3. L'aîné de mes cousins est follement _____ d'une jeune fille rencontrée en vacances.

4. La pendule du salon est vraiment extraordinaire; elle _____ très bien depuis l'enfance de grand-père.

5. Ils ont l'intention de _____ un appartement.

6. Elle n'est jamais malade; elle est en bonne _____.

Activités

Vous allez entrer dans trois situations imaginaires pour discuter certaines idées au sujet de la famille et du mariage et pour exprimer votre opinion pour ou contre l'existence de ces deux institutions. Il n'est pas nécessaire d'aller à la bibliothèque pour chercher des faits pertinents aux questions. Toutes les réponses nécessaires aux situations existent déjà dans votre esprit: réfléchissez et imaginez un peu; le reste est très facile.

Une Expérience familiale

Pour votre classe de psychologie ce semestre, il faut faire une expérience sur les associations d'idées. Vous décidez d'expérimenter avec vos amis dans la classe de français. Formez un groupe de quatre personnes, trois participants et un chef d'équipe (*group leader*). Le chef va dire un mot de la liste numérotée et les trois participants vont répondre avec le premier adjectif ou nom qui se présente à l'esprit. Par exemple, si le chef dit «la famille», les participants vont peut-être répondre «réunions!» «grande!» «bizarre!» A la fin de l'expérience, le chef doit préparer un résumé des résultats pour le groupe. Trouvez les réponses les plus originales ou les plus surprenantes.

Voici quelques adjectifs et quelques noms qui peuvent vous servir comme point de départ pour les réponses. Bien sûr, il y en a d'autres.

Adjectifs

actif	démonstratif	généreux	naïf
adaptable	dominant	indépendant	ponctuel
agressif	égoïste	individualiste	sentimental
chic	fort	intuitif	sociable
conservateur	fragile	irrationnel	spontané
cultivé	gâté	méticuleux	tyrannique

Noms

amis	opinions	respect
confiance	problèmes	traditions

Etes-vous prêt? Ne regardez pas la liste suivante si vous êtes participant(e). Répondez spontanément avec un nom ou avec un adjectif après chaque mot du chef. Attention à l'accord de l'adjectif!

1. la mère	8. les querelles	15. la rivalité
2. le père	9. la famille idéale	16. le petit déjeuner
3. les enfants	10. l'amour	17. la cuisine
4. les fiancés	11. le mari	18. les loisirs
5. le mariage	12. la femme	19. les vacances
6. les réunions	13. le divorce	20. les grands-parents
7. la communication	14. l'argent	

«*Jusqu'à vingt-cinq ans, les enfants aiment leurs parents; à vingt-cinq ans, ils les jugent; ensuite, ils leur pardonnent.*

—*H. Taine, 1867*

Seulement un mythe?

Votre cours de civilisation américaine commence avec une grande surprise pour vous. Le prof dit que la famille américaine typique est un mythe, qu'elle n'existe pas. Il dit aussi que la famille n'est pas une institution importante pour les Américains, qu'il y a beaucoup de divorces aux Etats-Unis et que dans quelques années, le mariage et la famille vont disparaître. Vous êtes choqué(e) et vous commencez à insister que la famille américaine typique existe, que l'institution de la famille américaine est importante et nécessaire. Le prof vous demande d'écrire un article sur ce sujet. Trouvez quelques amis dans cette classe avec qui vous pouvez discuter vos idées et écrivez vos réponses aux questions suivantes de votre prof. Donnez un titre à votre article.

1. Quelle famille allez-vous décrire? Votre famille? La famille de votre meilleur(e) ami(e)?

2. Quel est le nom de cette famille? Quels sont les prénoms?

3. Où habite cette famille? Est-ce que cette famille est typique de toutes les régions des Etats-Unis ou d'une région en particulier?

4. Combien de personnes y a-t-il dans cette famille? Quelle est la profession du père? de la mère?

5. Décrivez chaque membre physiquement.

6. Que fait une famille américaine typique pendant le week-end? Passent-ils le week-end ensemble?

7. Décrivez leur maison. Y a-t-il une piscine (*swimming pool*)? Combien de télévisions y a-t-il? de téléphones? de voitures?

8. Pourquoi cette famille est-elle typiquement américaine? Ses membres sont-ils contents? éduqués? matérialistes? en bonne santé? actifs?

9. Comment sont les rapports dans cette famille? Le père et la mère s'entendent-ils bien (*do they get along well*)? Les parents et les enfants s'aiment-ils? S'agit-il d'une famille unie?

10. Voulez-vous faire partie d'une famille américaine typique? Justifiez votre réponse.

11. Si vous vous mariez, votre foyer (*household*) sera-t-il typique? Justifiez votre réponse.

En famille

Votre classe de théâtre fait des improvisations au sujet de la vie de tous les jours. Voici quelques situations présentées par le professeur. Choisissez un problème et écrivez un petit dialogue de trois ou quatre minutes qui en offre une solution.

1. Vous allez étudier à l'université en septembre. Vos parents suggèrent un petit collège dans la ville où vous habitez maintenant. Mais vous préférez aller dans une grande université près des montagnes, à 1.613 kilomètres (1.000 miles) de votre maison. Vous croyez qu'il est temps de quitter la maison. Vos parents pensent que les étudiants de cette université ne sont pas sérieux, donc ils n'aiment pas votre choix. Changez l'opinion de vos parents. Il faut trois acteurs pour cette scène: le père, la mère et vous.

2. Vous êtes chez vos parents un week-end et il y a un problème. Trois personnes ont besoin de la voiture familiale: (a) Votre soeur joue dans un match de tennis en ville et elle ne peut pas prendre sa bicyclette parce qu'elle a trop de choses à emporter—des raquettes, des vêtements, etc. Elle veut la voiture. (b) Votre mère a rendez-vous avec un client dans une heure. Elle doit d'abord aller chercher le client à son hôtel, puis amener le client au restaurant, puis aller au meeting, puis ramener le client à l'hôtel. (c) Vous voulez amener vos amis à une manifestation à 10 kilomètres (6,2 miles) de la ville pour protester contre la construction d'un immense aéroport près de chez vous. Vos amis n'ont pas de voiture. Quelle est la solution? Il faut trois personnes: la mère, la soeur et vous.

3. Vos parents vous demandent de rentrer pour les vacances de Noël, mais vous avez d'autres projets. Vos parents expliquent qu'il va y avoir une grande réunion pendant les vacances pour fêter le cinquantième anniversaire du mariage de vos grands-parents. Vous pensez aller au Mexique avec des amis qui vont louer un bateau pour passer dix jours sur l'océan. Comment allez-vous persuader vos parents que vous ne pouvez pas changer vos projets maintenant, sans créer une crise familiale? Il faut trois acteurs: les parents et vous.

Sujets de composition

Faites une composition écrite ou orale sur l'un des sujets suivants.

Comment peut-on décider si on veut se marier ou pas?

Parmi vos amis, qui parle plus souvent du mariage, les jeunes filles ou les garçons? Quelles sont les tendances des jeunes d'aujourd'hui—veulent-ils se marier? Est-ce que le mariage est bon pour tout le monde? Y a-t-il des alternatives qui marchent bien? Quels sont les conseils (advice) de votre famille au sujet du mariage? Sur quoi sont-ils fondés?

Comment choisit-on un époux ou une épouse?

Faut-il être amoureux(se) avant de se marier? D'après votre expérience, est-ce que le coup de foudre (love at first sight) arrive vraiment? Pourquoi est-ce qu'on dit que les contrastes s'attirent? Quel est l'âge idéal pour se marier? Avez-vous déjà une image en tête de la personne que vous voulez épouser? Qu'est-ce que vous allez faire si vous tombez amoureux(se) de quelqu'un qui n'est pas exactement comme ça?

Madame René Eckenbiehl

Monsieur et Madame Edmond Marquet

ont l'honneur de vous faire part du mariage de

Mademoiselle Chantal Marquet, leur petite-

fille et fille, avec Monsieur Hervé Liégent.

Et vous prient d'assister ou de vous unir d'intention
à la Bénédiction Nuptiale qui leur sera donnée le Samedi
21 Juin 1980, à 16 heures, en l'église Sainte-Agathe
de Villers-Allerand.

Une Noce française

Quels sont les buts du mariage?

Si vous comptez vous marier, allez-vous avoir des enfants? Combien? Si vous ne pensez pas vous marier, voulez-vous avoir des enfants? Connaissez-vous des mariages qui marchent bien? Pourquoi réussissent-ils? Est-ce que les deux époux travaillent en dehors de la maison? Font-ils le ménage ensemble? Sortent-ils ensemble quand ils ne travaillent pas? Font-ils beaucoup de choses séparément?

Les Mariages internationaux

Imaginez que vous vous mariez avec une personne française. Quels sont les avantages d'un mariage international? Les difficultés? Où allez-vous habiter? Pourquoi? Si vous habitez en France, qui peut travailler? Si vous êtes aux Etats-Unis, qui va travailler? Pouvez-vous voter là où vous habitez? Quels passeports avez-vous? Va-t-il être difficile de trouver des amis en commun? Si vous avez des enfants, quelle(s) langue(s) vont-ils parler? Quelle langue allez-vous parler à la maison? Qui va décider la nationalité des enfants? Grace Kelly et le prince Rainier ont un mariage international très célèbre. Pouvez-vous trouver d'autres exemples?

Grace Kelly et le prince Rainier

Devinez un peu

Formez des équipes de quatre personnes. Choisissez un nom d'équipe et entrez dans la folie d'un «trivia bowl» français. Il y a dix questions dans chaque chapitre. Participez soit* après un chapitre, soit après quelques chapitres, soit à la fin du

---

*soit... soit... soit *either... or... or*

livre. L'équipe avec le plus grand nombre de réponses correctes gagne. Cette fois, il faut peut-être aller à la bibliothèque chercher les réponses à certaines questions dans une encyclopédie française ou dans un autre livre de référence. Ceci est permis et même recommandé. Bonne chance!

1. Napoléon et elle divorcent en 1809 parce qu'il n'y a pas d'héritier né de leur union.
   a. Marie-Louise
   b. Marie-José
   c. Joséphine
   d. Désirée

2. Elle est guillotinée comme son mari Louis XVI pendant la révolution française.
   a. Mme de Pompadour
   b. Mme Récamier
   c. Charlotte Corday
   d. Marie-Antoinette

3. Ma mère l'Oie est célèbre parce qu'elle
   a. est très sotte.
   b. aime bien raconter des histoires aux gosses.
   c. a écrit des fables.
   d. a écrit un livre de cuisine.

4. On écrit au Père Noël
   a. vers la fin de l'année.
   b. juste avant le 14 juillet.
   c. après une retraite.
   d. quand il est parti en voyage.

5. La bru est
   a. une recette très ancienne pour un punch servi traditionnellement aux mariages.
   b. un terme spécial pour une jeune fille qui va se marier bientôt.
   c. la femme de votre fils.
   d. une étrangère qui se marie avec un Français et qui garde sa nationalité d'origine.

6. Votre cousin germain
   a. a un drôle de nom.
   b. vient de Berlin.
   c. est le fils du frère de votre père.
   d. a toujours le même nom que vous.

7. La fille de la soeur du mari de votre soeur aînée
   a. est votre nièce.
   b. est votre cousine.

    c.   n'est pas votre parente.

    d.   n'est pas votre parente si elle se marie.

8. «Tel père, tel fils» veut dire:
   a.   ce que vous dites au père, il faut le dire au fils.
   b.   un grand-père a toujours un petit-fils.
   c.   un père et son fils se ressemblent beaucoup.
   d.   un père passe son autorité paternelle seulement à son fils.

9. Le célèbre film *Les Quatre Cents Coups* (*The 400 Blows*) parle de l'adolescence troublée de quel matteur en sence français?
   a.   Jean Renoir
   b.   François Truffaut
   c.   Agnès Varda
   d.   Jeanne Moreau

10. La marraine (*godmother*) de Cendrillon
    a.   habite au nord de la France.
    b.   aime beaucoup la mer.
    c.   transforme un gros légume de son jardin pour aider sa filleule à s'amuser.
    d.   prépare le dîner chaque dimanche chez Cendrillon comme toute bonne marraine.

De Vrais Amis

Vous savez qu'il y a des mots qui se ressemblent en français et en anglais mais qui ne veulent pas dire la même chose. On les appelle les faux amis. Il y a aussi des mots qui se ressemblent en français et en anglais et qui veulent dire la même chose. Nous les appelons les vrais amis.

    Dans cette boîte, essayez de trouver vingt mots similaires en français et en anglais qui traitent de la famille ou du mariage. Quelques mots sont très faciles à trouver; quelques-uns sont un peu plus difficiles. Faites un cercle autour de chaque mot, comme nous avons fait avec «bébé.» Souvenez-vous que les mots se trouvent dans n'importe quel sens: horizontalement, verticalement, et obliquement. Notez combien de temps il faut pour finir cette activité.

> *«Le mariage est la traduction en prose du poème de l'amour.»*
>
> *—Proverbe français*

```
q  w  r  t  y  u  i  o  p  a  s  d  f  g
h  j  r  e  n  d  e  z  v  o  u  s  e  z
c  o  u  p  l  e  r  b  o  p  a  p  a  m
o  m  n  b  o  w  n  r  t  y  b  o  b  o
u  x  y  z  d  o  i  f  a  m  i  l  l  e
s  s  o  n  i  n  v  i  t  a  t  i  o  n
i  p  a  n  v  y  r  m  a  m  a  n  c  m
n  u  u  m  o  t  h  e  r  f  i  a  n  a
r  e  o  x  r  u  n  n  a  s  p  o  i  r
r  v  e  c  c  h  j  u  e  k  v  e  t  i
b  u  m  r  e  c  o  o  p  e  s  g  e  a
c  e  r  e  m  o  n  i  e  l  r  w  s  g
b  n  b  f  i  a  n  c  e  s  e  p  o  e
o  u  a  e  m  t  r  o  u  s  s  e  a  u
c  n  s  i  r  t  y  u  i  o  p  n  m  b
b  a  c  l  f  t  e  t  e  a  t  e  t  e
m  a  a  m  a  m  i  e  l  v  c  x  z
h  i  a  s  e  u  y  p  a  r  e  n  t  s
```

La Vie de tous les jours

2

Les jeux et les activités de ce chapitre concernent la vie de tous les jours en France. La première activité présente une liste de mots qui se réfèrent à la vie quotidienne. Ensuite, vous avez la possibilité de faire un peu de publicité pour un magazine français. Dans la troisième activité, vous allez examiner quelques offres d'emploi en France et en Afrique afin de déterminer quelle situation vous intéresse le plus.

Les cinq sujets de composition qui suivent les activités vous posent des questions sur la mode et sur les professions. Vous allez donner votre opinion personnelle sur ces sujets oralement ou par écrit.

Devinez un peu et *De Vrais Amis* terminent le chapitre. Vous allez une fois de plus utiliser les mots de la vie quotidienne. Cela vous donnera aussi l'occasion d'enrichir votre vocabulaire français.

Le Vocabulaire essentiel...

actuellement   at present

le carnet   booklet

le couturier (la couturière)   fashion designer

déchiffrer   to decipher

exprimer   to express

gratuit(e)   free of charge

le kiosque   newsstand; flower-stall

la marque   trademark, brand

les petites annonces   want ads

poser sa candidature   to make an application, to apply for

le poste   job

quotidien(ne)   daily

la réclame   advertisement

se rendre à   to go (somewhere)

se sentir   to feel

...et comment l'utiliser

A.   Trouvez l'équivalent de chaque expression.

1.   de tous les jours

2.   aller quelque part

3.   nonpayant

4.   au présent

5.   la publicité

6.   éprouver

7.   une situation

B. Complétez les phrases avec les mots qui conviennent.

1. Quand on cherche un appartement, il faut lire les _____.

2. Pierre Cardin et Yves St. Laurent sont des _____ célèbres.

3. En France on vend les journaux et les fleurs dans des _____

4. Le métro est moins cher si on achète un _____ de dix billets à la fois.

5. Les Français aiment _____ leurs opinions.

6. Je ne réussis pas à _____ ce message.

7. Peugeot et Renault sont des _____ de voitures françaises.

8. Il faut _____ pour un poste de journaliste.

Activités

La Vie quotidienne en France

Avec un(e) camarade de classe, essayez de déchiffrer chaque groupe de lettres ci-dessous. Tous les mots que vous obtiendrez se réfèrent à la vie quotidienne en France. Les lettres dans la colonne de droite sont aussi à déchiffrer. Elles vous donneront un synonyme du mot «quotidien».

1. A Paris, pour aller au travail, rencontrer des amis ou voir un film, on prend le E R O T M.

          __ T __

2. Les Français se rendent au F E A C pour bavarder, manger ou passer du temps.

          ___ E

3. Beaucoup de Français s'achètent des T E S R A G T I C E au bureau de tabac tous les jours.

          _ _ _ _ _ _ _ _ S

4. La plupart des Français vont à la I E L O B A N U R E G quotidiennement pour acheter du pain.

          _ _ _ L _ _ _ _ _ _

5. En France le premier jour de la semaine est D U N I L.

          _ U _ _ _

6. Pour téléphoner, acheter des timbres, ou envoyer des télégrammes, on va à la S O P E T.

          _ O _ _ _

7. Le R R I P M E E étage en France est le second aux Etats-Unis.

          _ R _ _ _ _ _

8. Les A S O O T U T R U E en France sont payantes; les routes nationales et départementales sont gratuites.

          _ _ _ _ O _ _ _ _

9. *Le Monde, Le Figaro* et *France Soir* sont des U X O N R A J U quotidiens parisiens.

          J _ _ _ _ _ _ _

10. Une marque très connue de voiture française est T A R U E N L.

          _ _ _ _ U _ _

11. Une cafétéria pour ceux qui sont pressés est le C A S K N - B R A.

          S _ _ _ _ - _ _ _

12. Le plus grand aéroport de France, situé au nord de Paris, est C R E H S A L E D U L A L E G.

          _ _ _ _ _ _ S _ _ _ _ _ _ _

Les Français et les magazines

Les Français adorent lire des magazines, mais d'habitude ils ne s'y abonnent (*subscribe*) pas. La plupart des Français préfèrent passer une heure ou deux chaque semaine chez leur vendeur de journaux favori. Ils y regardent rapidement les revues qui viennent de sortir avant de s'acheter un *Nouvel Observateur*, un *Express*, un *Pour Vous Madame* ou un *Télé 7 Jours*. Les kiosques à journaux sont une véritable

institution française et on ne peut pas faire deux pas dans n'importe quelle ville en France sans tomber sur l'un d'eux.

En France, la publicité joue le même rôle qu'aux Etats-Unis; c'est l'âme (le support financier) des revues. Il y a ci-dessous un collage de réclames tirées de magazines français récents. Formez de petits groupes (avec deux ou trois étudiants dans chaque groupe) pour faire l'activité publicitaire suivante.

Regardez toute la publicité. Actuellement, ces produits apparaissent très souvent dans les magazines français. Imaginez que vous avez des produits américains que vous voulez vendre en France. Vous allez faire deux réclames pour des magazines français en imitant le style de cette publicité. C'est-à-dire que vous allez employer des verbes (à l'infinitif ou conjugués au présent) dans la première réclame et des adverbes dans la deuxième.

Ensuite, chaque groupe va lire seulement le texte de ses réclames à la classe, qui va ensuite essayer de deviner de quel produit il s'agit. Vous allez finir par regarder toute la publicité afin de choisir les meilleures réclames pour un magazine français. (Si vous ne vous sentez pas doué pour le dessin, vous pouvez chercher des réclames dans des magazines et écrire un texte qui exprime vos idées.)

Libre d'être moi-même

Agire écoute et répond

Si cela sterilise ! Si cela adoucit ! Si cela impermeabilise ! Si cela lave ! Si cela parfume ! Si cela dissout ! Si cela desinfecte ! Si cela rafraichit ! Si cela colore ! Si cela conserve ! Si cela assemble ! Si cela detache ! Si cela colle ! Si cela protege ! Si cela nettoie ! Si cela humidifie ! Si c'est de la qualite ! Si cela contribue a ameliorer votre vie quotidienne, cela pourrait bien venir de Henkel France !

Vous cherchez un emploi

Imaginez que vous venez de passer un an à Paris comme étudiant. L'année scolaire se termine mais vous n'êtes pas encore prêt à retourner aux Etats-Unis. Vous avez envie de passer une deuxième année à l'étranger et vous décidez de chercher un emploi. Vous commencez à lire les petites annonces dans les journaux et dans les magazines. En voici quelques-unes.

Maintenant, vous allez poser votre candidature à un des postes ci-dessous. Voici comment.

1. Avec un(e) camarade de classe, choisissez l'offre d'emploi qui vous intéresse le plus.

2. Vous et votre camarade allez écrire le dialogue de l'interview pour ce poste. L'un(e) d'entre vous va jouer le rôle de l'employeur et l'autre va jouer le rôle du candidat.

3. Pendant l'interview, *l'employeur* décrit la situation en détail et les conditions du travail; il (elle) pose aussi des questions sur la formation professionnelle, les références, etc. du candidat.

   Le candidat va essayer pendant l'interview de montrer qu'il (elle) est la personne idéale pour ce travail (il est permis d'inventer tout un tas de raisons!). Il (elle) explique aussi pourquoi il (elle) veut travailler pour cette entreprise en particulier.

4. A la fin de l'interview, l'employeur doit décider d'engager ou de ne pas engager ce candidat. Pendant ce temps le candidat décide à son tour d'accepter ou de refuser l'emploi. Chacun explique son choix.

Chaque groupe va présenter son dialogue au reste de la classe.

Sujets de composition

Faites une composition écrite ou orale sur deux des sujets suivants.

La Haute Couture

Les trois sujets de discussion les plus communs en France sont probablement la politique, la cuisine et la haute couture. Savez-vous que Paris est la capitale de la mode depuis trois siècles? Quel est le centre de la mode aux Etats-Unis? Justifiez votre réponse. Pourquoi est-ce que les noms de certains couturiers français (Christian Dior, Coco Chanel, Pierre Cardin) sont bien connus aux Etats-Unis? Si vous allez à Paris un jour, voulez-vous assister à une présentation des nouvelles collections? Expliquez votre réponse. La création des vêtements est-elle une création artistique? Commentez votre jugement.

Vous et la mode

Quelle importance la mode a-t-elle pour vous? Combien d'argent dépensez-vous chaque année pour vos vêtements? Combien de temps passez-vous chaque jour à décider de ce que vous allez porter en classe? au travail? à une réunion familiale? à une entrevue? Avez-vous un style personnel ou suivez-vous aveuglément la mode? Expliquez.

Les Professions et les métiers

Paris n'est pas seulement le centre culturel de la France; c'est aussi le centre du travail avec tous ses ateliers, ses usines, ses boutiques, ses bureaux, etc. Quel est le centre du travail aux Etats-Unis? Peut-on choisir n'importe quelle carrière aux Etats-Unis? Expliquez vos réponses. Quelle est la différence entre une profession et un métier? Quelles professions ou quels métiers sont plus accessibles aux hommes? aux femmes? Pourquoi?

Vous et le travail

Quelle sorte de travail vous intéresse le plus, manuel ou intellectuel? Pourquoi? Vous et vos amis, comment choisissez-vous une carrière? Selon le salaire? le prestige? la créativité? l'emplacement? Expliquez. Où allez-vous travailler dans cinq ans? Allez-vous exercer la même profession ou le même métier que vos parents? Justifiez votre réponse.

Le travail est-il nécessaire?

Actuellement, est-ce que le travail est une chose nécessaire? Justifiez votre réponse. Est-ce que cela va changer dans dix ans? dans cent ans? Comment?

Devinez un peu

1. Un carnet est
   a. un plat à base de viande.
   b. un ensemble de tickets.
   c. le monument de Carnac en Bretagne.
   d. un masque de carnaval.

2. Un conducteur est
   a. un chef d'orchestre.
   b. une personne qui manoeuvre un train.
   c. une personne qui contrôle les billets des voyageurs.
   d. une personne qui sert de guide.

3. Qui n'est pas un couturier célèbre?
   a. Fouquet
   b. Cardin
   c. Saint Laurent
   d. Chanel

4. Une rue piétonnière est réservée
   a. aux alpinistes.
   b. aux mobylettes.
   c. aux camions.
   d. aux promeneurs.

5. Un sens interdit indique
   a. une odeur désagréable.
   b. un non-sens.
   c. une rue à sens unique.
   d. une interdiction de commerce.

6. Un mètre est l'équivalent de
   a. 36 pouces (*inches*).
   b. 4 pieds.
   c. 3 pieds.
   d. 39 pouces.

7. Les heures de pointe indiquent
   a. une circulation intense.
   b. la première clarté du jour.
   c. l'heure d'un rendez-vous.
   d. le Nouvel An.

8. Cent vingt-cinq livres égalent
   a. 56,70 kilos.
   b. 250 kilos.
   c. 67,5 kilos.
   d. 125 kilos.

9. Un immeuble est
   a. le décor d'une maison.
   b. une habitation à plusieurs étages.
   c. une chose immobile.
   d. la ville principale d'une région.

10. Sur les autoroutes en France la vitesse est limitée à 110 kilomètres à l'heure. Quel est l'équivalent en miles par heure?
    a. 55 m.p.h.
    b. 60 m.p.h.
    c. 65 m.p.h.
    d. 70 m.p.h.

De Vrais Amis

A. Encerclez les mots dans les phrases suivantes qui sont identiques ou presque identiques en anglais.

1. Le secrétaire prépare le dossier.

2. Une frontière sépare deux pays.

3. Tout le monde désire la paix.

4. Maintenant les députés s'organisent.

5. Le roi juge la situation.

B. Choisissez l'infinitif approprié pour compléter ces phrases: *utiliser, arriver, changer, cultiver, visiter.*

1. Les ingénieurs vont _____ l'énergie solaire.

2. Il faut _____ son jardin.

3. Le président va _____ à Orléans demain matin.

4. Ce paysan n'aime pas _____ les grandes villes.

5. La mode va _____ l'année prochaine.

C. Cette partie du chapitre a pour but d'élargir votre vocabulaire. Maintenant vous savez ce que sont les mots apparentés (*cognates*), ou vrais amis. Parfois il est possible d'apprendre plusieurs mots de la même famille aussi bien en anglais qu'en français; voici quelques exemples de mots de la même famille.

analyser / l'analyse *f.*

(se) parfumer / le parfum

grouper / le groupe

demander / la demande

imaginer / l'imagination *f.* / imaginatif(ve)

désirer / le désir / désirable

charmer / le charme / charmant(e)

encourager / l'encouragement *m.* / encourageant

Maintenant faites une phrase complète avec les mots suivants.

1. le groupe
2. l'imagination
3. désirer
4. charmant
5. encourager
6. se parfumer
7. la demande

La France d'autrefois

3

Les trois activités qui se trouvent au début de ce chapitre vous présentent plusieurs personnages importants en France entre 1500 et 1900. Vous allez probablement reconnaître beaucoup de gens qui figurent dans les événements historiques exposés dans la première activité. La deuxième activité décrit seulement un personnage historique, Joséphine, la première femme de l'empereur Napoléon Bonaparte, et certains problèmes qu'ils ont eus pendant leur mariage. La troisième activité raconte une visite à Versailles, le château somptueux de Louis XIV. Il n'est pas nécessaire d'être expert en histoire pour faire ce retour dans le passé. Vous allez examiner chaque situation proposée et donner vos réactions aux idées présentées.

Les quatre sujets de composition vous proposent des questions sur le français et sur le nationalisme. Le jeu, *Devinez un peu*, mentionne des dates, des personnes et des événements importants à l'époque. Le jeu *De Vrais Amis* montre des rapports entre le français et l'anglais en introduisant plusieurs proverbes des deux langues.

Le Vocabulaire essentiel...

actuel(le) at present, today

agir to act

à haute voix out loud

améliorer to improve

le défi challenge

déprimé(e) depressed

épuisé(e) exhausted

faire partie de to belong to

insolite unusual

la lecture reading

la tâche task

...et comment l'utiliser

A. Trouvez l'équivalent de chaque expression.

1. vraiment fatigué
2. perfectionner
3. étrange, extraordinaire
4. présent, contemporain
5. découragé, démoralisé
6. oralement, en parlant

B. Complétez les phrases avec les mots qui conviennent.

1. Elle _____ de la famille; il faut l'inviter à la réunion.

2. J'adore être absorbé par _____ d'un roman historique.

3. Napoléon a considéré l'infidélité de Joséphine comme _____ à son autorité.

4. Le moment est venu d'_____

5. «La _____ de l'historien consiste essentiellement à abréger.» —Bainville

Activités

Mon Royaume pour un titre!

Vous travaillez comme rédacteur ou rédactrice (*editor*) et vous avez reçu récemment les cinq résumés suivants des chapitres qui feront partie d'un texte sur l'histoire de France. Vous avez lu ces brefs sommaires et votre tâche maintenant est de trouver un titre pour chaque épisode, un titre différent et imaginatif qui va à la fois attirer l'attention du public et l'intéresser à l'étude de l'histoire.

Groupez-vous par deux et choisissez un titre pour les cinq situations. Ensuite, chaque groupe va lire ses propres titres aux autres groupes en expliquant pourquoi il a intitulé ainsi ces chapitres. A la fin on va déterminer ensemble le meilleur titre pour chaque texte. Ce résumé peut vous servir d'exemple.

Le Roi-Chevalier, François Ier, a acquis sa renommée comme protecteur des arts. Il a fait bâtir les grands châteaux de Blois, Chambord et Fontainebleau. Il a fait venir en France de grands artistes italiens tels que Léonard de Vinci, qui a laissé la Joconde (*Mona Lisa*) à la France.

Quelques titres possibles sont L'Ange protecteur des arts, Le Trésor de François Ier, Chronique d'un sourire mystérieux, Sous la robe royale, La Dame souriante, François Ier, Souvenirs de splendeur, La Belle et le roi, Les Rois préfèrent les Italiennes. Maintenant, à vous:

1. En 1588, Henri, duc de Guise, a obligé Henri III, son ennemi mortel, à convoquer les Etats-Généraux dans le château de Blois. Il comptait ainsi obtenir la déchéance (*downfall*) du roi. Le roi s'en est aperçu et a fait assassiner le duc dans le château même, au deuxième étage. Huit mois après, le roi était assassiné à son tour.

2. En 1595, Henri IV a décidé de renoncer au protestantisme pour la deuxième fois. Il est redevenu catholique et a été couronné roi de France. Il a pleuré au départ de son ministre huguenot en disant: «Paris vaut bien une messe.»

François Ier

Henri IV

3. En 1671, Vatel, le célèbre cuisinier du Grand Condé (descendant de Charles de Bourbon, comme Henri IV) a fait des efforts surhumains pour recevoir au château de Chantilly Louis XIV et sa cour de 5.000 personnes d'une façon digne du roi. Puis, un matin, le poisson prévu pour le dîner n'est pas arrivé. Epuisé et déprimé, Vatel s'est suicidé dans sa chambre.

4. Une des maîtresses de Louis XIV s'est probablement servie de poisons et de magie pour se faire aimer du roi. Elle a aussi participé à des rites sataniques et elle a essayé d'assassiner non seulement le roi mais aussi une jeune rivale. On a commencé une enquête sur ces accusations, mais le roi l'a suspendue en 1679 et rien n'a été prouvé.

5. La nuit du 10 août 1792, la famille royale s'est enfuie des Tuileries pour se réfugier à Paris mais elle a été arrêtée peu de temps après. Le roi Louis XVI a perdu tout son pouvoir et l'Assemblée l'a condamné à mort. Le 21 janvier 1793, le bourreau l'a guillotiné. Neuf mois après, la reine Marie-Antoinette a subi le même sort (destin).

Louis XIV

Marie-Antoinette

L'Analyste de l'impératrice

Vous et votre partenaire êtes des conseillers matrimoniaux célèbres en France à l'époque de Napoléon, et vous avez reçu une lettre insolite dans votre courrier du matin. On vous demande d'aller à la Malmaison pour avoir une entrevue avec Joséphine, femme de l'empereur. Leur mariage ne marche pas bien depuis quelque temps et Napoléon pense que son épouse en est responsable. Cela vous intéresse énormément et vous décidez d'agir immédiatement pour améliorer la situation.

Maintenant, avec votre partenaire, vous composez une liste de dix questions que vous voulez poser à Joséphine. Concentrez-vous sur son passé dans l'espoir d'y trouver les causes de ses problèmes actuels. Vous pouvez l'interroger sur tous les aspects de son enfance et de son adolescence. Pour cela, il n'est pas nécessaire de connaître tous les détails de son existence. Il vaut mieux penser à la vie quotidienne, et à vos propres expériences pour en tirer des questions d'ordre général qui vont vous aider à découvrir pourquoi Joséphine et l'empereur ne s'entendent plus. Vous allez probablement étudier la personnalité de Joséphine, ses rêves de jeune fille, ses espoirs et ses problèmes d'adolescence, son attitude envers ses parents, ses amitiés. Par exemple:

1. Vous êtes-vous bien entendue avec vos parents pendant votre adolescence?

2. Avez-vous été séparée de votre famille pendant quelque temps avant votre mariage?

3. Avez-vous toujours eu beaucoup d'amis pendant votre jeunesse?

Après avoir fait cette liste, lisez vos questions à vos camarades de classe en expliquant pourquoi vous avez voulu poser telle ou telle question. Ils vont déterminer si chaque question permet d'arriver plus facilement à la solution du problème. (Est-ce que Napoléon sera satisfait de votre travail ou risquez-vous non seulement votre carrière mais aussi votre vie en acceptant ce défi?)

Napoléon Bonaparte

L'impératrice Joséphine

Un Weekend inoubliable

(Paris, le 3 mai 1694) Vous et quelques collègues de travail avez fondé depuis peu de temps un des premiers journaux de France. Récemment une de vos connaissances a eu la chance de passer un week-end tout à fait extraordinaire à Versailles dans le magnifique palais du roi Louis XIV. Vous voulez publier dans votre journal un compte-rendu personnel sur ce week-end passé à Versailles.

Suivant vos instructions, votre «envoyé spécial» a pris quelques notes pendant sa visite au château. Maintenant, vous et vos confrères allez étudier tous ensemble ces notes et compléter toutes les phrases afin de préparer cet article pour l'édition du lendemain. Lisez chaque phrase à haute voix en essayant plusieurs verbes différents pour trouver celui qui décrira le mieux les situations proposées. Voici des verbes qui pourront vous être utiles pour cette activité.

admirer	dormir	faire	se rendre compte
aller	donner	offrir	rentrer
s'amuser à	durer	porter	se reposer
arriver	s'ennuyer	se promener	retourner
assister à	entrer	quitter	venir
se balader	être frappé par	remarquer	voir

Le week-end dernier, je _____ à une grande fête qui, comme les précédentes, _____ trois jours environ et _____ une série incroyable de divertissements. Evidemment, tout le monde _____ de nouveaux vêtements et des bijoux pour cette occasion. Le soir, je _____ à une pièce de Molière et après je _____ danser. Le lendemain, nous _____ dans les jardins et je _____ dans les parcs et les allées. Ensuite, nous _____ tout l'après-midi; puis le soir, ils _____ un grand feu d'artifice. A la fin de la soirée, nous _____ près du grand canal. Le lendemain matin je _____ dans la chapelle pour écouter les sermons de Bossuet. Nous _____ toute la journée et on _____ un pique-nique au Grand Trianon.* Ensuite, le roi _____ dans la Galerie des Glaces.† Je ne _____ tout le weekend. Je _____ Versailles le lendemain et _____ Paris. En traversant Paris, je _____ la pauvreté et la misère de certains quartiers. Est-ce que le roi _____ de cela? Qui sait?

---

*Le Grand Trianon est un château dans le parc de Versailles.
†La Galerie des Glaces est une salle avec d'un côté des miroirs et de l'autre des fenêtres donnant sur le parc.

La bibliothèque de Louis XVI à Versailles

Sujets de composition

Faites une composition orale ou écrite sur deux des sujets suivants.

Le Français et l'anglais

L'Académie Française, fondée en 1635, a eu un rôle dominant dans l'évolution de la langue française. Depuis, c'est elle qui détermine l'usage des mots et les règles de grammaire, et qui contrôle l'orthographe et la prononciation. Qui décide de cela aux Etats-Unis? Est-il nécessaire d'imposer des lois strictes à la grammaire d'une langue? Pourquoi? Comment avez-vous appris la grammaire anglaise? la grammaire française? Selon vous, est-il nécessaire d'habiter dans un pays pour en apprendre la langue? Pourquoi?

Les Mots similaires en français et en anglais

Le français et l'anglais ont beaucoup de mots en commun. Faites une liste de vingt à trente mots français qui se réfèrent à l'histoire et que l'on retrouve en anglais (libération, brutal, loyal, réconciliation). Qu'est-ce que le franglais? Pourquoi est-ce que l'on adopte des mots étrangers dans sa propre langue? Est-ce que l'emprunt de mots est toujours une bonne idée? Pourquoi?

Le Nationalisme

La fin du Moyen Age annonce le commencement du nationalisme en France. Qu'est-ce que le nationalisme? Une attitude? un mouvement? une stratégie militaire? Quand et pourquoi le nationalisme américain est-il né? Aujourd'hui, le nationalisme est-il utile? nécessaire? Comment?

La Nationalité

Quelle est la différence entre nationalisme et nationalité? Quels documents prouvent la nationalité d'un(e) Américain(e)? d'un(e) Français(e)? Pour quelles raisons change-t-on de nationalité? Etes-vous content(e) d'être américain(e)? Pourquoi? Quelle réputation avons-nous à l'étranger? Sommes-nous admirés? détestés? enviés? Qu'est-ce qui contribue à nous donner une telle réputation? Aimeriez-vous habiter à l'étranger? Pourquoi?

> «La plupart des occasions des troubles du monde sont grammairiennes.»
>
> —Montaigne, 1580

Devinez un peu

1. La méthode scientifique a été découverte au dix-septième siècle par
   a. Louis Pasteur.
   b. Blaise Pascal.
   c. René Descartes.
   d. le Collège de France.

2. En 1598, l'Edit de Nantes
   a. a mis fin au siège de Nantes.
   b. a décidé de la construction d'une forteresse à Nantes pour défendre la ville contre les Anglais.
   c. a introduit un nouvel impôt sur la viande et sur le vin.
   d. a garanti la liberté religieuse dans certaines villes de France, telles que La Rochelle et Montpellier.

3. Après les guerres d'Italie, il a ramené en France des maîtres italiens, y compris Léonard de Vinci. Ce grand roi s'appelait
   a. François Ier.
   b. François II.
   c. Henri III.
   d. Henri IV.

4. «L'état, c'est moi» a dit un monarque absolu français qui a régné pendant cinquante-quatre ans, de 1661 à 1715. Il s'agit de
   a. Napoléon.
   b. le Cardinal Duc de Richelieu.
   c. Louis XIV.
   d. Louis XV.

5. Les *Maximes* de la Rochefoucauld sont
   a. une chaîne de restaurants français.
   b. des producteurs de café.
   c. la base de la géométrie linéaire.
   d. des pensées sur la vie quotidienne.

6. En 1801, Napoléon a commencé à parler du «code civil»,
   a. qui a établi des lois de propriété, de mariage, d'héritage, etc.
   b. le premier manuel de termes militaires à l'usage des civils.
   c. un programme pour aider les anciens combattants à rétablir une vie nor-male après leur service militaire.
   d. mais ceci n'a jamais abouti à rien.

7. Combien de Napoléon ont régné au dix-neuvième siècle?
   a. Un: Napoléon Bonaparte.
   b. Deux: Napoléon Bonaparte et Napoléon II.
   c. Deux: Napoléon Bonaparte et Napoléon III.
   d. Trois: Napoléon Bonaparte, Napoléon II et Napoléon III.

8. Au dix-huitième siècle, Louis XVI s'est servi de lettres de cachet pour
   a. donner rendez-vous à une maîtresse.
   b. faire un traité secret avec un souverain étranger.
   c. emprisonner un sujet à jamais et sans procès.
   d. correspondre avec le premier ministre.

9. Le Siècle des Lumières se réfère
   a. à l'époque qui vient immédiatement après le Moyen Age.
   b. au début du XIXe siècle, après l'invention de l'électricité, de la machine à coudre, etc.
   c. au développement des doctrines philosophiques sur le rationalisme, l'in-dividualisme, le nationalisme.
   d. à l'époque de Louis XIV, le Roi Soleil.

10. «Allons enfants de la patrie, le jour de gloire est arrivé»
    a. est une phrase qui souhaite la bienvenue à ceux qui visitent l'Arc de Triomphe et le tombeau du soldat inconnu.
    b. est le début de la Marseillaise.
    c. est le début du célèbre discours de Napoléon après son sacre (*coronation*).
    d. est le titre d'une chanson qui fête la fin de la guerre prussienne en 1871.

De Vrais Amis

Vous savez maintenant ce que sont des mots apparentés (*cognates*). Essayons d'apprendre à discerner certains rapports entre les mots français et les mots anglais.

Les mots français avec la terminaison -*té* ont souvent la terminaison -*y* en anglais. La plupart de ces noms sont féminins. Voici des exemples de ce phénomène qui peuvent vous aider à faire les exercices suivants:

la chasteté	la fidélité	l'hospitalité	la pauvreté	la vanité
la difficulté	la frivolité	l'infériorité	la personnalité	la vivacité
la facilité	la généralité	la médiocrité	la pureté	
la familiarité	la générosité	l'originalité	la société	

A. Complétez les phrases suivantes avec un mot français en -*té*.

1. La théorie d'Einstein est la théorie de la _____.

2. Les chiens sont le symbole de la _____.

3. Votre _____ est marquée sur votre passeport.

4. _____ est nécessaire pour être athlète.

5. La _____ est plus importante que la quantité, n'est-ce pas?

B. Complétez ces proverbes anglo-saxons avec le mot en -*té* qui convient.

1. La _____ a tué le chat.

2. La _____ engendre le mépris.

3. La _____ commence par soi.

4. La _____ est mère d'invention.

5. La _____ est dans l'oeil du spectateur.

C. Traduisez les maximes suivantes en anglais.

1. Liberté, égalité, fraternité.

3. La sincérité qui n'est pas charitable est comme la charité qui n'est pas sincère.

3. L'humilité est un artifice de l'orgueil.

D. Maintenant, c'est à vous. Ecrivez deux ou trois proverbes originaux en français sur: la beauté, la médiocrité, la vanité, la diversité, la frivolité, l'infériorité, la générosité, ou l'égalité. Imitez un ou plusieurs des proverbes ci-dessus.

«La gloire est le soleil des morts.»

—*Balzac, 1834*

La Vie scolaire

4

La première partie de ce chapitre présente trois activités qui concernent certains problèmes au sujet de la vie scolaire. Vous allez examiner trois situations imaginaires afin de déterminer ce que l'université et la *high school* représentent pour vous, et de parler en général de la vie sur un campus américain. Quelques problèmes sont posés; c'est à vous de trouver les réponses. Il n'est pas nécessaire d'aller à la bibliothèque; toutes les réponses aux questions existent déjà dans votre esprit. Réfléchissez et imaginez un peu; le reste est très facile.

Après les activités, il y a six sujets de composition. Vous allez une fois de plus donner votre opinion au sujet de l'enseignement dans une composition écrite ou orale.

Cette fois-ci, pour *Devinez un peu*, il faut peut-être aller à la bibliothèque chercher dans une encyclopédie française ou dans un autre livre de référence les réponses à certaines questions. Ceci est permis et même recommandé. Bonne chance!

Les instructions pour *De Vrais Amis* sont dans le chapitre.

Le Vocabulaire essentiel...

l'argot *m.* slang (*noun*); **argotique** slang (*adj.*)

le cas case

célibataire celibate, unmarried

la connaissance knowledge

diriger to direct

exigeant(e) demanding

pire worse (*adj.*)

se renseigner to inform oneself

...et comment l'utiliser

A. Trouvez le contraire de chaque expression.

1. facile, accommodant(e)

2. obéir ou suivre

3. meilleur(e)

4. marié(e)

5. la langue classique

B. Trouvez l'équivalent de chaque expression.

1. la compréhension; l'instruction, l'éducation
2. des mots non-techniques employés par un groupe social
3. obtenir des informations
4. une situation; une éventualité, une circonstance
5. administrer, organiser, être à la tête d'une opération

Activités

Un Peu d'administration

Vous faites partie du comité chargé des admissions à l'université. Ce comité se réunit demain pour la dernière fois avant que le semestre ne commence. Il y a un problème. Vous avez en ce moment devant vous dix dossiers d'étudiants qui ont posé leur candidature, mais il ne reste que six places. Votre tâche est de choisir six personnes parmi dix pour les admettre à l'université l'année prochaine.

1. Talia Reed, 38 ans, divorcée, 3 enfants. Il y a 20 ans qu'elle a abandonné ses études secondaires. Elle n'a jamais fait d'études universitaires.

2. Lila Malilo, 19 ans, célibataire. C'est une réfugiée qui est récemment arrivée du Laos sans sa famille. Elle parle très peu anglais.

3. Craig «Moose» Pendleton, 25 ans, joueur de football, célibataire. Il a déjà essayé deux fois et sans succès de finir un semestre à l'université.

4. Ben Black Otter, 18 ans, célibataire, indien américain. Il vient de quitter la réserve pour la première fois. Il ne voulait pas poser sa candidature; sa famille l'a fait pour lui.

5. Ron Baker, 31 ans, marié, 2 enfants. Il est assistant social (*social worker*) depuis 10 ans; il veut commencer une autre carrière qui lui permettra de passer plus de temps avec sa famille.

6. Mary Micellie, 27 ans, religieuse; elle a un diplôme d'éducatrice spécialisée. Elle voudrait faire des études d'économie pour s'occuper des affaires financières de son ordre.

7. Paul Woosten, 60 ans, veuf, géologue. Il a passé ces 25 dernières années à prendre soin de sa femme handicapée. Maintenant, il voudrait élargir ses connaissances.

DEMANDE D'INSCRIPTION

UNIVERSITE de NICE

Fiche analytique individuelle

1 Avez-vous été inscrit à l'UNIVERSITÉ DE NICE depuis 1975-76 ou APRÈS   OUI ☐ NON ☐
Si OUI inscrivez votre Nº CARTE ETUDIANT |__|__|__|__|__|__| |__|
3   6 chiffres   lettre

Nº REFERENCE MANDAT |__|__|__|__|__|__|

2 Nº INSEE à 13 chiffres
ou Nº SÉCURITÉ SOCIALE de l'Etudiant |__|__|__|__|__|__|__|__|__|__|__|__|__| |__|
3

3 NOM (pour les femmes, nom de jeune fille) |__|__|__|__|__|__|__|__|__|__|__|__|__|__|__|__|__|__|__|__|__|__|
22
PRÉNOM |__|__|__|__|__|__|__|__|__|__|
(1er prénom à l'état civil)

4 Pour les femmes mariées ou veuves NOM du mari |__|__|__|__|__|__|__|__|__|__|__|

5 Né (e) le : JOUR |__|__| MOIS : __   ANNÉE : __   à |__|__|__|__|__|__|__|__|__|__|__|__| DEP. ou PAYS |__|__|
64   Pour Paris et Lyon indiquer l'arrondissement
2
1

6 ADRESSE de l'ÉTUDIANT EN FRANCE en vue de toutes convocations |__|__|__|__|__|__|__|__|__|__|__|__|__|__|__|__|__|__|__|__|__|__|__|__|__|__|__|__|__|
17
CODE POSTAL |__|__|__|__|__| Ville |__|__|__|__|__|__|__|__|__|__|__|__|__|__|
49
TELEPHONE

7 Adresse des Parents ou du Tuteur :   Tél.
NE RIEN INSCRIRE DANS CE CADRE
DP |__|__| CO |__|__|__|
75

8 Nationalité :   Si vous êtes étranger : êtes-vous titulaire de la carte de séjour en France du fait de votre inscription en Université ?   OUI ☐ NON ☐
9   0
3 N |__|__|__| |__|
1   17

9 SITUATION DE FAMILLE
Célibataire 1 ☐   Veuf (ve) 2 ☐   Divorcé (e) 4 ☐   Nombre d'enfants
Si vous êtes MARIÉ votre conjoint est-il étudiant ? OUI 5 ☐   NON 6 ☐
SF |__| NE |__|

10 SITUATION MILITAIRE (pour les étudiants français seulement)
Non encore incorporable 1 ☐   Sous les 2 ☐   Exempté 3 ☐   Service 4 ☐
ou sursitaire   drapeaux   (réformé ou dispensé)   accompli
MI |__|

11 Mode de logement envisagé
Chez vos parents 1 ☐   Chambre chez un particulier 2 ☐   Interne dans un lycée 3 ☐   En foyer d'étudiants (privé) 4 ☐
Cité ou résidence universitaire 5 ☐   Logement de fonction 6 ☐   Appartement personnel 7 ☐   Autre 8 ☐
LO |__|

12 Avez-vous cette année un emploi rétribué ?   Lequel ?
OUI 1 ☐   NON 2 ☐
êtes-vous IPESIEN ? êtes-vous Interne en médecine OUI ☐ NON ☐
1   2
EI |__| PRO |__|__| IP |__|
25

13 C.R.O.U.S. Sollicitez vous le bénéfice des œuvres universitaires ouvrant droit notamment au restaurant Universitaire ?   OUI 1 ☐   NON 2 ☐
R |__|

14 INSCRIPTION PARALLÈLE DANS UN AUTRE ÉTABLISSEMENT
Lycée (classe préparatoire aux grandes écoles...) 1 ☐   École Normale 2 ☐   UER 0 ☐   NOM
de l'établissement
|__|

15 SECURITE SOCIALE
Quelle était votre régime de sécurité sociale en 1979-1980 ?
Régime étudiant 1 ☐   Régime salarié 2 ☐   Non inscrit 3 ☐
Département de la caisse d'affiliation :...
1979-1980
S.S. 1 |__| dep. aff. |__|__|
31
1980-1981
affiliable 1 / non aff. 0 |__| CAT |__|__| Lien |__|

16 MUTUELLE
— Cotisez-vous en 1980-81 à une des mutuelle suivantes laquelle ? MNEF 1 ☐ MEP A 2 ☐ MEP B 3 ☐ MEP C 4 ☐
— Si vous ne cotisez pas à une mutuelle laquelle choisissez vous comme centre de paiement MNEF ☐ MEP ☐
de sécurité sociale   5   6
MU |__|

17 Cotisez-vous au sport ?   OUI 1 ☐   NON 2 ☐
SP |__| R₁ + R₂ |__|__|__|__|

18 Aviez-vous un emploi rétribué l'an dernier ?   OUI 1 ☐   NON 2 ☐
E |__| |0|
44

19 Profession du père :   activité ? 1 ☐   retraité ou rentier ? 2 ☐   décédé ? 3 ☐
Profession de la mère :   activité ? 1 ☐   retraitée ou rentière ? 2 ☐   décédée ? 3 ☐
AC |__| PRO |__|__| SA |__|__|
46

20 Baccalauréat
Série	Mention	Année	Département d'obtention
		19	
S |__|__| M |__| A |__|__| D |__|__|
57

8. Jean Wheeler, 22 ans, célibataire. Depuis qu'elle a quitté la *high school* elle n'a pas pu trouver un emploi qui l'intéresse vraiment. Elle n'aime pas beaucoup l'université, mais elle ne voit pas d'autres possibilités.

9. Matt Buren, 18 ans, fils de votre voisin. Il y a toujours eu des avocats dans sa famille. Il préfère étudier la musique et veut devenir un musicien «rock».

10. Fr. Frank Bolmin, 29 ans, prêtre. Il ne s'intéresse pas au contenu des cours. Il voudrait connaître les jeunes d'aujourd'hui pour mieux les servir.

Maintenant, examinez les possibilités avec les quatre autres membres du comité. Eliminez un(e) candidat(e) à la fois jusqu'à ce qu'il ne vous reste que six personnes. Vous ne pouvez refuser quelqu'un que si la majorité du groupe est d'accord pour le faire. Faites une liste des candidat(e)s que vous allez accepter et expliquez les raisons pour lesquelles vous avez choisi ces personnes.

Du Bavardage

La Vie d'étudiant

Formez un cercle—toute la classe va raconter une histoire sur la vie universitaire. Vous choisissez parmi les sujets ci-dessous celui qui vous intéresse le plus.

1.   Votre première journée à l'université

2.   Votre vie en résidence universitaire (problèmes, surprises, etc.)

3.   La fin de votre premier semestre (examens finals, etc.)

4.   Un week-end typique

5.   Vous et le restaurant universitaire (Resto-U)

6.   Votre journée la plus mémorable

7.   Une boum (*party, get-together*)

8.   Un sujet de votre choix

Après avoir choisi un sujet, un(e) étudiant(e) commence à raconter:

> Je me souviens de ma première journée à l'université. J'avais très faim, je suis donc allé au Resto-U de ma résidence. Là, j'ai trouvé une espèce de pizza qui j'ai commencée à manger. Après quelques minutes, une personne étrange s'est assise en face de moi. Je voulais lui dire «bonjour» mais je ne pouvais pas parce que...

Puis, l'étudiant(e) qui parlait s'arrête soudain aux mots *parce que* et montre du doigt un(e) autre élève qui continue cette histoire.

...parce que j'avais trop de pizza dans la bouche. Enfin, j'ai fini ma bouchée (*mouthful*) et j'ai dit, «Cette pizza n'est vraiment pas bonne. Voulez-vous en prendre?» Il a dit, «Non.» J'ai continué, «Est-ce que je vous ai vu à la fête hier soir au foyer universitaire?» Il a répondu, «Non, cela est impossible parce que...»

Après trois ou quatre phrases, ce deuxième élève arrête brusquement son histoire avec les mots *parce que* et choisit un(e) troisième élève pour la continuer. Et ainsi de suite pour que tout le monde participe.

Une Entrevue*

Vous participez à une entrevue qui a lieu dans votre ancienne *high school* pour engager un nouveau prof. Pour cette activité, il faut former un groupe d'une dizaine d'étudiants. Le comité qui dirige l'entrevue se compose de: deux profs de *high school*, un conseiller d'éducation, le proviseur (*principal*), deux parents d'élèves et un(e) étudiant(e) de *high school*. Il faut aussi avoir deux ou trois candidat(e)s pour le poste (*emploi*). Dans votre groupe, choisissez ceux qui vont être le proviseur, les parents, les candidats, et les autres membres du comité.

---

*Activité de deux jours.

Premier jour

Si vous faites partie du comité qui donne l'entrevue, il est nécessaire que chaque participant formule lui-même ses questions pour sélectionner le (la) meilleur(e) candidat(e) pour le poste. Posez trois ou quatre questions dans votre domaine. Par exemple, le conseiller peut dire: Parlez-moi de votre adolescence. Etait-elle heureuse? malheureuse? Qui a eu une influence particulièrement importante sur vous quand vous étiez à la *high school?* Et le proviseur peut demander: Comment était votre *high school?* Traditionnelle? moderne? Vous faites une liste de questions et vous la donnez aux candidats pour qu'ils l'examinent.

Etudiez les questions que les candidats veulent vous poser. Préparez vos réponses.

Si vous êtes candidat(e), formez un groupe avec quatre ou cinq autres candidat(e)s et préparez des questions pour le comité afin de vous renseigner sur cette *high school*. Posez deux ou trois questions à chaque membre du comité. Par exemple: demandez au proviseur: Quel était votre programme d'études l'année dernière? Qui l'a organisé? Vous? les profs? Au professeur: Quant à la discipline dans vos classes, avez-vous eu des problèmes? De quelle sorte? Après avoir formulé vos questions, donnez cette liste au comité.

Etudiez les questions du comité et préparez vos réponses.

Deuxième jour

Mettez-vous en cercle et interrogez chaque candidat(e) séparément. Trouvez le (la) meilleur(e) candidat(e), et donnez les raisons pour lesquelles vous avez choisi ce (cette) candidat(e).

Sujets de composition

Faites une composition écrite ou orale sur deux des sujets suivants.

Les Professeurs de *high school*

Pensez à vos anciens professeurs de *high school*. Qui a été votre meilleur professeur? Pourquoi? Qui était le plus mauvais? Pourquoi? Quelle sorte de profs aimiez-vous en général? Ceux qui étaient exigeants? indulgents? énergiques? réservés? Comment avez-vous choisi vos profs de *high school?* au hasard?

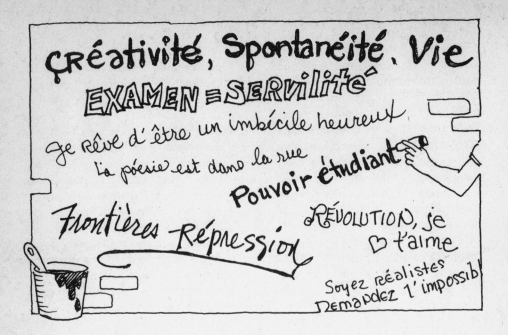

Vous et les professeurs

Qu'est-ce que les profs représentaient pour vous à la *high school?* L'autorité? l'expérience? la culture? Respectiez-vous toujours vos profs? Si oui pourquoi? Si non, pourquoi pas? Aviez-vous la possibilité de parler avec vos profs en dehors (*outside*) de la classe? Si oui, de quoi parliez-vous? Dans le cas contraire, pourquoi ne parliez-vous pas aux professeurs? Aviez-vous le droit de critiquer un cours? A quelle(s) occasion(s) avez-vous fait un compliment à un prof? Quelle sorte de différences y a-t-il entre vos rapports avec vos professeurs à l'université et vos rapports avec vos profs à la *high school?*

L'Enseignement

Voulez-vous être professeur un jour? Expliquez votre réponse. Quel serait pour vous le professeur idéal?

Les Universités

Les universités en France sont toutes contrôlées par le gouvernement. Il y a une branche de l'université d'Etat dans chaque grande ville; donc, si vous habitez à Brest, c'est là que vous allez à l'université. Tous les diplômes universitaires français sont équivalents. Evidemment, le système universitaire est très différent aux Etats-Unis. Quelles sortes de différences y a-t-il entre les universités américaines? Comment avez-vous appris cela? Pourquoi avez-vous choisi l'université où vous étudiez à présent? Vos parents ont-ils été contents de votre choix?

La Vie d'étudiant(e)

Pourquoi avez-vous décidé de poursuivre des études universitaires? Qu'est-ce que le milieu universitaire signifie pour vous? Une ambiance intellectuelle? une «vie sociale»? un apprentissage professionnel? Aimez-vous la vie d'étudiant(e)? Commentez vos réponses.

Les Frais de scolarité

En France, l'université est presque gratuite, même pour les étudiants étrangers. Qui paie votre scolarité? Gagnez-vous votre vie? Est-ce que les parents doivent être responsables financièrement de leurs enfants après l'âge de dix-huit ans? Justifiez votre réponse.

Devinez un peu

1. Quelle était la première université française?
    a. L'Université de Bordeaux
    b. L'Université de Paris
    c. L'Université de Notre-Dame
    d. Les Grandes Ecoles

2. Le bac français
    a. est l'équivalent du diplôme universitaire américain.
    b. est le terme argotique désignant le dernier rang en classe.
    c. est le terme argotique désignant la salle de conférence à l'université française.
    d. est l'équivalent du diplôme de high school.

3. Les cours universitaires commencent en France
    a. vers le début (de) septembre.
    b. vers la fin septembre
    c. vers le début (de) novembre.
    d. vers la fin novembre.

4. Le cancre
    a. est une maladie qui attaque seulement les élèves.
    b. ne réussit pas en classe.
    c. est très souvent une mascotte des lycées français.
    d. annonce la rentrée des classes.

5. Une classe facultative
    a. n'est pas obligatoire.
    b. n'est pas enseignée par un lecteur.
    c. n'a pas lieu sur le campus, mais chez un professeur.
    d. n'est pas pour les étudiants, mais pour les profs.

6. Jean-Paul Sartre a fréquenté
   a. la Sorbonne.
   b. l'Ecole Normale Supérieure.
   c. Oxford.
   d. les Grandes Ecoles.

7. Un enfant de sept ans va à l'école
   a. maternelle.
   b. paternelle.
   c. primaire.
   d. élémentaire.

8. L'échelle des notes en France
   a. va de 0 à 20. 10 est nécessaire pour être reçu à un examen.
   b. va de 0 à 100. 75 est nécessaire pour être reçu à un examen.
   c. n'existe pas, les étudiants ne reçoivent jamais de notes.
   d. est variable, ça dépend de la région où se trouve l'école.

9. Les événements de mai 1968
   a. étaient une sorte de «panty raid» à l'américaine.
   b. ont causé d'importantes réformes dans les institutions françaises, surtout dans l'enseignement.
   c. ont célébré la Fête des fleurs.
   d. sont à l'origine de la Fête du travail en Europe.

Dans l'amphithéâtre

10. Une leçon particulière
   a. veut dire qu'on doit étudier un certain chapitre dans un certain texte.
   b. veut dire qu'un professeur peut présenter seulement une nouvelle idée dans une conférence.
   c. a lieu quand un élève travaille seul avec un précepteur.
   d. existe seulement pour les élèves dont un parent est professeur.

«L'éducation développe les facultés, mais ne les crée pas.»

—Voltaire, 1752

«Il ne faut pas juger d'un homme par ce qu'il ignore, mais par ce qu'il sait.»

—Vauvenargues, 1746

«C'est une grande folie de vouloir être sage tout seul.»

—La Rochefoucauld, 1665

De Vrais Amis

A. Complétez les phrases suivantes avec le mot qui convient. Mettez-le à la forme correcte.

1. dicter / la dictée / dictatorial

   En général, les professeurs _____ sont mal vus.

2. perfectionner / la perfection / parfait

   Notre instituteur de maths demandait _____ même dans nos devoirs.

3. discipliner / la discipline / indiscipliné

   Dans ma *high school*, il fallait souvent _____ les élèves.

4. ignorer / l'ignorance (f.) / ignorant

   A l'âge de quinze ans, j'étais vraiment _____ en histoire européenne.

Des étudiants parisiens

5. instruire / l'instruction (f.) / instructif

   Au lycée, les étudiants français peuvent suivre des cours d'_____ religieuse.

6. fréquenter / la fréquence / fréquent

   Pourquoi espérez-vous _____ une université française l'année prochaine?

7. participer / la participation / participatif

   En mai 1968, tout le monde _____ aux événements.

8. former / la formation / formé

Autrefois, c'était la famille qui _____ les jeunes; maintenant, c'est l'école.

9. organiser / l'organisation / réorganisé

Est-ce que l'université a été vraiment _____ après 1968?

10. analyser / l'analyse (f.) / analytique

D'habitude, l'expérimentateur _____ les résultats tout de suite après l'expérience (*experiment*).

B. Les faux amis sont des mots qui ne veulent pas dire la même chose en anglais et en français bien qu'ils se ressemblent beaucoup. Remplacez les expressions en italiques par des expressions choisies dans la liste de droite.

1. Patrice va *parler à la classe* au sujet des voyages interplanétaires.

2. Il est impossible d'aller à *la section* d'anglais entre midi et une heure.

3. Nous avons vraiment bossé (*worked*) hier soir parce que nous devons *écrire* un examen aujourd'hui.

4. Est-ce que le prof va nous donner *une évaluation* avant la fin du semestre?

5. Je *ne savais pas* qu'un cours de philosophie était obligatoire.

6. Quand Gilles est entré en classe, l'institutrice *lisait* à la classe.

a. la faculté

b. faisait une lecture

c. faire une conférence

d. un grade

e. passer

f. une note

g. ignorais

h. prenait

Les Français à table

5

Ce chapitre présente d'abord trois activités qui concernent les différences entre la cuisine française et la cuisine américaine. Vous allez entrer dans un petit restaurant français où vous pouvez choisir des plats délicieux tout en jouant une petite scène. Puis vous allez élargir votre vocabulaire culinaire. Vous vous renseignerez sur la cuisine française aux Etats-Unis en cherchant des verbes exprimant les différentes façons de manger, de boire et de faire la cuisine.

Ensuite il y a cinq sujets de composition qui vont vous permettre de comparer les façons de manger et de boire aux Etats-Unis et en France. Puis vous retrouverez un petit jeu bien connu, *Devinez un peu*.

Vous allez achever le chapitre en trouvant des mots apparentés en français et en anglais. Les trois devinettes de *De Vrais Amis* vous offrent un moyen d'élargir votre vocabulaire français tout en vous amusant.

Le Vocabulaire essentiel...

la caisse   cash register, cashier's desk

les conserves *f.*   canned goods

faire cuire   to cook

le garçon   waiter

le goût   taste

le plat   dish, food

la serveuse   waitress

surgelé(e) *adj.*   frozen

...et comment l'utiliser

Complétez les phrases avec les mots qui conviennent.

1. On paie l'addition à _____

2. Il faut laisser un pourboire pour _____

3. Les produits en boîtes sont _____ .

4. On garde la nourriture _____ dans le frigo.

5. Le boulanger _____ le pain au four.

6. Les sauces françaises ont _____ très délicat.

7. Au restaurant on peut manger _____ que l'on préfère.

Activités

Une Pièce en cinq actes

Vous allez jouer une petite scène en groupes de six personnes.

La Scène

Un petit restaurant du Quartier Latin.

Les Personnages

Le propriétaire ou la personne qui s'occupe de la caisse
Un garçon ou une serveuse
Quatre clients

Les Éléments du dialogue

Questions

Qu'est-ce que M. (Mme) désire?
Que prenez-vous comme... ?
Et comme boisson?

Réponses

Je voudrais...
Moi, je prendrai...
Apportez-moi... s'il vous plaît.

Le Vocabulaire

Acte I

Hors-d'oeuvre m.   **ou**   *Soupe* f.

oeufs durs mayonnaise m.   soupe à l'oignon f.
thon à l'huile m.   soupe de légumes f.
salade de tomates f.   velouté de champignons m.
radis beurre m.   soupe de vermicelle f.

Acte II

Poisson   **ou**   *Viandes*

truite meunière f.   poulet rôti m.
salade de crevettes f.   steak (bien cuit, à point, saignant) m.
sardines grillées f.   omelette aux fines herbes f.
                                                      côtelette de veau f.

Acte III

Légumes

petits pois m.
pommes de terre sautées f.
carottes à la crème f.
haricots verts au beurre m.
pommes frites f.
asperges au beurre f.

Acte IV

salade verte f.

Acte V

Fromages m.   **ou**   *Dessert* m.

camembert m.   pêche melba f.
gruyère m.   glace à la vanille f.
roquefort m.   crêpe suzette f.
                                                      fruits de saison m.
                                                      yaourt m.
                                                      flan caramel m.

Boissons f.

carafe de vin rouge *f.*	tilleul *m.*
café, café crème *m.*	bière pression *f.*
thé *m.*	coca-cola *m.*
chocolat chaud *m.*	jus de fruit *m.*
eau minérale *f.*	

Choisissez les rôles et à vous de jouer!

Que faire?

Qu'est-ce qu'un(e) Américain(e) peut faire aux Etats-Unis pour connaître et apprécier la cuisine et les vins français? Enormément de choses? Rien du tout? Vous qui êtes étudiants en français avez sans doute déjà en tête toutes sortes de réponses à cette question!

Formez un groupe de quatre personnes. Les membres du groupe échangent oralement leur opinion à ce sujet, en utilisant des verbes qui commencent par chaque lettre de l'alphabet. Choisissez un chef de groupe qui prendra note de vos suggestions. Il est recommandé d'employer un dictionnaire pour cette activité, et de limiter le temps de recherche. Ne vous servez pas du même verbe deux fois et ne répétez pas «la cuisine française, les vins français» dans chaque phrase. En écrivant vos observations utilisez plutôt des pronoms objets, comme dans les exemples suivants. Variez aussi les pronoms sujets en employant tous les pronoms. A la fin, comparez les listes pour déterminer le groupe gagnant.

La Cuisine française	Les Vins français
A On peut l'adorer, l'apprécier,...	On peut en acheter au supermarché, en apporter à une soirée, arroser un plat...
B Nous bavardons pendant tout le repas.	Nous pouvons en boire trop, le bénir...
C	
D	
E	

etc.

Au marché

Vrai ou faux?

Les Français parlent très souvent de cuisine. Voici les commentaires qu'ils font au sujet de la cuisine américaine. Etes-vous d'accord avec tout ce qu'ils en disent? Discutez de ces remarques en classe et (1) déterminez si chaque observation est vraie ou fausse; (2) donnez les raisons pour lesquelles vous acceptez ou vous rejetez chaque généralisation.

Les Américains:

1. ne peuvent pas se passer de ketchup.
2. grignotent (*snack*) toute la journée.

3. n'achètent au supermarché que des conserves et des produits surgelés.
4. vont bientôt pouvoir faire leur marché (*to go grocery shopping*) en restant dans leur voiture.

5. prennent du coca-cola et du lait aux repas (même quand ils sont adultes), et boivent du café pendant tout le repas.

6. ne mangent en effet que des hamburgers, des hot dogs, des sandwichs et du beurre d'arachide (*peanut butter*).

7. mélangent le sucré et le salé.

8. mangent trop au petit déjeuner.

9. mangent de la salade au début du repas.

10. mangent du maïs—ça, c'est pour les cochons!

11. sont gourmands puisqu'ils
    a. mangent toujours trop.
    b. ne font pas suffismament attention à leur ligne (*figure*).

12. ne sont pas civilisés puisqu'ils
    a. ne savent pas apprécier les plaisirs de la table.
    b. mangent trop vite.
    c. passent toujours la fourchette de la main gauche à la main droite.

Maintenant vous avez la parole.

1. D'après ces remarques, quelle idée peut-on se faire des goûts et des préjugés français?

2. Faites une liste en critiquant les habitudes alimentaires françaises de la même façon. Vous pouvez peut-être commencer par: «Les Français ont ce qu'ils appellent «la grande cuisine», qui ne sert à rien d'autre qu' à déguiser (*to disguise*) le goût des aliments sous des sauces diverses et variées. ...»

Sujets de composition

Faites une composition orale ou écrite sur deux des sujets suivants.

La Cuisine

On entend très souvent parler de la «grande cuisine». Qu'est-ce que la «grande cuisine»? Quels pays ont une bonne réputation culinaire? Comment le savez-vous? Est-il possible de connaître un pays sans en connaître la cuisine? Expliquez votre réponse. Si vous voyagez à l'étranger, comment préférez-vous manger? Toujours à l'américaine? Commentez votre réponse.

La Cuisine française

Avez-vous jamais mangé un repas à la française (*in the French style*)? L'avez-vous aimé? Quelle impression donne un(e) touriste américain(e) qui commande un repas typiquement américain en France? Etes-vous pour ou contre l'établissement des chaînes de restaurants américains en France? Pourquoi? Trouvez cinq adjectifs qui décrivent la cuisine française et cinq qui décrivent la cuisine américaine. Avez-vous utilisé les mêmes adjectifs pour ces deux descriptions? Si non, pourquoi pas?

Pourquoi mange-t-on?

Socrate a dit: «Il faut manger pour vivre, et non pas vivre pour manger.» Qu'est-ce que cela veut dire? Qu'est-ce que vous en pensez?

Les Boissons

Les Français, d'après les statistiques récentes, sont les plus grands consommateurs d'alcool du monde. A quel âge peut-on commencer à boire des boissons alcoolisées en France? à en acheter? Faites une liste de cinq boissons alcoolisées françaises que l'on boit aux Etats-Unis et de cinq boissons alcoolisées typiquement américaines. Quelles boissons alcoolisées américaines peut-on trouver à l'étranger?

Pourquoi boit-on?

Pourquoi, en général, boit-on de l'alcool? L'alcool peut-il être bienfaisant? Commentez votre réponse. A votre avis, quel âge devrait-on avoir pour boire de l'alcool? Dans quelles circonstances avez-vous bu de l'alcool pour la première fois? Les étudiants que vous connaissez sont-ils des buveurs d'alcool? En boivent-ils de façon raisonnable? Expliquez vos réponses. Quelles personnes ne prennent jamais d'alcool? Pourquoi?

Devinez un peu

1. Avec les grappes de raisin on fait
   a. du vin et des liqueurs.
   b. de la moutarde de Dijon.
   c. de la soupe à l'oignon.
   d. de la mayonnaise.

2. Au restaurant, vous avez commandé du vin. Le garçon ouvre la bouteille et il vous donne le bouchon (*cork*). Vous
   a. le jetez en l'air et faites un voeu (*wish*).
   b. demandez à votre entourage qui veut le garder comme souvenir.
   c. le rendez au garçon après l'avoir lu.
   d. le sentez et dites au garçon si le vin est bon ou mauvais.

3. La choucroute est une spécialité de quelle province?
   a. L'Alsace-Lorraine
   b. La Bretagne
   c. La Bourgogne
   d. Le Jura

4. Pour porter un toast à quelqu'un en France, on peut dire:
   a. Salut!
   b. C'est si bon!
   c. Santé!
   d. Sacré bleu!

5. Un restaurant à trois étoiles dans le guide Michelin
   a. reçoit presque tous les soirs de grandes vedettes françaises.
   b. emploie toujours trois chefs spécialisés dont un pour les sauces, un pour les entrées et un pour les desserts.
   c. offre toujours des entrées provenant de trois différentes provinces de France.
   d. sert la meilleure cuisine de France.

6. Complétez cette comparaison française: Il est bon comme
   a. l'or.
   b. le vin.
   c. le pain.
   d. le fromage.

7. Les huîtres
   a. se mangent seulement vivantes.
   b. se mangent vivantes ou cuites.
   c. se mangent accompagnées d'un vin rouge, comme tous les fruits de mer.
   d. se mangent comme entrée ou comme dessert selon le goût de l'individu.

8. Laquelle de ces provinces n'est pas une région vinicole?
   a. L'Aquitaine
   b. L'Anjou
   c. La Bourgogne
   d. La Normandie

9. Une crudité est
   a. une assiette de légumes variés servis comme hors-d'oeuvre.
   b. un fruit de mer très riche et très célèbre en France.
   c. n'importe quel cognac ordinaire qui sert à flamber les mets (*special dishes*).
   d. n'importe quel plat qui n'est pas très bon.

10. Le brie, le chèvre et le gruyère sont
    a. des gibiers de passage.
    b. trois différentes sortes de pâtés.
    c. trois liqueurs fortes.
    d. des fromages français.

«*Il ne faut pas tant regarder ce que l'on mange qu'avec qui l'on mange.*»

—*Epicure, troisième siècle avant Jésus-Christ*

De Vrais Amis

Il y a bien des mots apparentés en français et en anglais qui se réfèrent à la cuisine et aux vins. Nous allons en trouver quelques-uns.

A. Complétez les noms de ces mets et de ces boissons français bien connus aux Etats-Unis. Vous avez quinze minutes pour trouver les réponses.

   a. la q _ _ _ h _
   b. les e _ c _ _ _ _ t _
   c. le b _ _ _ f _ _ _ r _ _ i _ _ _ _
   d. la b o _ _ l _ _ b _ _ _ _ _
   e. le c o _ _ _ _ i _
   f. le f _ _ _ g _ _ _
   g. le g _ a _ _ _ _ _ n _ _ _
   h. l'é _ _ _ _ r
   i. le l _ g _ _ _
   j. la c _ e _ e _ e _ e _ _ _ e
   k. le s _ _ _ _ l _
   l. le f _ _ _ _ _ _ _ n _ n
   m. la m _ _ _ n _ _ _ s _
   n. le v _ _ _ o _ _

B. Trouvez un mot français qui commence par un *c* et qui corresponde à la définition. Quel est son genre?

1. Celui qui dirige la cuisine.
2. On le sert comme entrée et comme dessert.
3. Un outil utilisé par numéro 1 ci-dessus.
4. Du vin blanc pétillant.
5. Une liqueur forte qu'on boit après le dîner.
6. Une école de cuisine très renommée à Paris.
7. Le contraire d'un plat réussi.
8. Beaucoup d'Américains en prennent au petit déjeuner.
9. Ce légume est aussi une couleur.
10. Une soupe légère et claire.
11. Un bonbon, une boisson, une couleur.
12. Un mangeur de chair humaine.

C. Combien de mots apparentés pouvez-vous trouver dans les catégories suivantes? Vingt? trente? Tous les mots doivent commencer par les lettres données à gauche.

	légumes	boissons	termes utilisés dans les recettes	divers, ayant rapport avec la cuisine en général
T				
A				
B				
L				
E				

«*Les grands mangeurs et les grands dormeurs sont incapables de quelque chose de grand.*»

—*Henri IV, 1553–1610*

Villes, villages, provinces

6

Les trois activités qui commencent ce chapitre ont pour but de souligner les différentes caractéristiques régionales en France et aux Etats-Unis. La première activité
vous offre quelques précisions sur les grandes villes de France que vous pouvez
alors comparer avec des villes américaines. Peut-être vous faudrait-il rafraîchir
votre connaissance de celles-ci! Ensuite, au cours d'un voyage imaginaire en France,
on vous porte un défi (*challenge*)—*a scavenger hunt*—non pas pour ramasser des objets
mais pour identifier le lieu où chacun se trouve. Il serait utile de consulter une
carte de France et un livre de référence. Pour la troisième activité vous avez la
possibilité de parler des régions des Etats-Unis que vous pensez être d'un intérêt
particulier pour les voyageurs français.

Après les activités, il y a quatre sujets de composition. Encore une fois, vous allez
parler ou écrire en présentant votre opinion personnelle sur les sujets suggérés.

Pour *Devinez un peu*, formez des équipes de quatre personnes et choisissez un
nom pour votre groupe. Il y a dix questions; l'équipe avec le plus grand nombre
de réponses correctes gagne. Il vous faudra peut-être vous servir d'un dictionnaire
ou d'un livre de référence.

Vous allez achever le chapitre en trouvant *De Vrais Amis* en français et en
anglais. C'est un moyen d'élargir votre vocabulaire français en vous amusant un peu.

Le Vocabulaire essentiel...

bruyant(e)   noisy

déménager   to move

déplaire   to displease

détendu(e)   relaxed

esquisser   to sketch, to outline

jumeau (jumelle)   twin

la publicité   advertising

la souplesse   flexibility

...et comment l'utiliser

Trouvez l'équivalent de chaque expression.

1.   calme

2.   changer de logement

3.   offenser, vexer

4.   L'élasticité, la maniabilité

5.   indiquer, crayonner, tracer

6. une réplique physique ou morale d'une personne; deux objets semblables

7. qui fait beaucoup de bruit; où il y a beaucoup de bruit

8. affiche, texte, etc. à caractère commercial

Activités

Des Villes jumelées

Savez-vous ce que sont des villes jumelées (*twin cities*)? Ce sont deux villes qui se ressemblent beaucoup du point de vue de leur climat, de leur emplacement, de leur population, de leur atmosphère, etc. Maintenant, vous allez jumeler des villes françaises et américaines. Voici comment.

Vous trouverez ci-dessous une liste qui décrit dix grandes villes françaises. Après avoir lu ces descriptions, groupez-vous par deux et trouvez les dix villes américaines qui correspondent à ces villes françaises. Discutez de ces villes, comparez-les de plusieurs façons, et puis expliquez pourquoi vous avez relié (*linked*) telle ville américaine à telle ville française.

1. *Marseille:* grand port commerçant; centre de la mafia; animé; bruyant; violent

2. *Bordeaux:* port sur fleuve; connu pour son vin et ses vignobles; pluvieux; bourgeois

3. *Lyon:* port industriel sur fleuve; centre de l'industrie de la soie; connu pour la charcuterie; élégant; froid

4. *Paris:* capitale; centre des beaux arts; célèbre par la Tour Eiffel; connu pour ses monuments; grouillant (*teaming with life*); fascinant; gai

5. *Strasbourg:* centre industriel; influencé par l'Allemagne; connu pour son architecture pittoresque; célèbre par sa bière et sa choucroute

6. *Cannes:* station balnéaire (*beach resort*); port nautique; célèbre par son festival du cinéma et son casino; ensoleillé

7. *Grenoble:* ville neuve avec industrie croissante (*growing*); situé dans les montagnes; centre de sports d'hiver; les Jeux Olympiques

8. *Lille:* grand centre industriel: textile, métallurgie, chimie, imprimerie, etc...; triste; gris; situé dans le Nord

9. *Toulouse:* centre de la recherche aéronautique et spatiale; ville rose; sous l'influence espagnole; chaud; venté (*windy*); détendu; ayant l'accent du sud

10. *Brest:* port militaire; connu pour son littoral dentelé (*rugged coast*) et sa mélancolie; célèbre par ses crêpes et ses fêtes folkloriques; pluvieux

Autour de la France en soixante minutes

Vous allez vous diviser en groupes pour participer aux finales de la compétition Chasse Internationale au Trésor (*International Scavenger Hunt*). Voici comment recevoir le trophée: parcourez dans votre imagination la France pour trouver le plus vite possible les objets suivants.

1. un guide du plus grand musée français

2. une carte postale du siège du gouvernement de l'Etat Français présidé par le maréchal Pétain pendant l'Occupation

3. un béret basque

4. une carte de remonte-pente (*lift ticket*) d'une station de ski, ancien site des Jeux Olympiques

5. une caisse de pots de moutarde renommée

6. un plan de la célèbre Galerie des Glaces qui montre le nombre exact des glaces sur chaque mur

7. une addition de chez Maxim's

8. une bouteille de Château Lafitte-Rothschild, 1897

9. une photo de toute votre équipe sur une des plages du débarquement allié en juin 1944

10. un plan du circuit automobile où a lieu chaque année l'épreuve de vitesse la plus disputée de France

On vous accorde une heure pour esquisser un itinéraire qui va vous permettre d'accomplir votre tâche. Maintenant, avec les membres de votre équipe, indiquez sur une liste dans quelles villes ou régions vous allez vous rendre afin d'obtenir tout ce qu'il vous faut. Bonne chance et bonne chasse.

> «*Dieu a fait la campagne, l'homme a fait la ville, et le diable la petite ville.*»
>
> *Proverbe anglais*

L'Aventure américaine

La Seine à Paris

Vous travaillez à Paris cet été dans une agence de voyages spécialisée dans les circuits «découvertes». Vos itinéraires essaient d'offrir aux voyageurs la possibilité de visiter non seulement les régions parfois bien connues, mais aussi celles qui sont négligées par le tourisme traditionnel.

Puisque vous êtes américain(e), on vous a demandé d'organiser une excursion de vingt-huit jours aux Etats-Unis qui comporte quelques lieux touristiques mais aussi qui présentera une région encore ignorée par le grand tourisme. Discutez-en avec deux de vos confrères et proposez un circuit en précisant les lieux à visiter. Ne vous occupez pas des détails maintenant (hôtels, transports, etc.). Cela s'arrangera plus tard.

Après avoir préparé cet itinéraire, il vous faut faire un peu de publicité pour inciter les voyageurs français à faire connaissance avec les merveilles de cette région inconnue. Avec vos collègues, écrivez une annonce d'une ou deux minutes pour la télévision française. Utilisez de nombreux impératifs. (Par exemple: Venez découvrir.... Admirez la beauté légendaire de.... Rajeunissez-vous en suivant la route de Ponce de Léon....)

Essayer de présenter votre publicité de façon originale. Vous pouvez faire des dessins, composer une chanson, dépeindre une scène où tout le monde se promène au coeur d'un paysage fantastique. Laissez libre cours à votre imagination.

Sujets de composition

Faites une composition écrite ou orale sur deux des sujets suivants.

La Ville ou la campagne?

Que vous offre la grande ville? Quelle est votre ville préférée, et pourquoi? Quels sont les avantages de la vie à la campagne? Quels en sont les inconvénients? Est-ce qu'il vaut mieux habiter en ville pour se distraire? Pourquoi? Est-ce que les citadins (*city dwellers*) sont trop sophistiqués pour une vie rurale? Comment?

La Mobilité

L'Américain typique déménage tous les cinq ans. Nous sommes les gens les plus mobiles du monde. Quelles en sont les raisons? Etes-vous pour ou contre cette mobilité? Pourquoi? Où habite votre famille maintenant? Avez-vous toujours habité au même endroit? Pourquoi? Où allez-vous habiter dans cinq ans: dans une grande ville ou à la campagne? Qu'est-ce qui vous attire dans la vie urbaine ou qu'est-ce qui vous pousse à habiter à la campagne? Est-ce que tous vos amis pensent de la même façon que vous?

Les Régions des Etats-Unis

Comme la France, les Etats-Unis sont divisés en plusieurs régions—le sud, le sud-ouest, etc. Nommez toutes les régions américaines et décrivez-les brièvement. Selon vous, quelle est la région la plus typiquement américaine des Etats-Unis? Pourquoi? Y habitez-vous? Quels états avez-vous déjà visités? Avez-vous l'intention de voir tout le pays durant votre vie? Pourquoi?

Les Accents des Etats-Unis

En France, comme chez nous, il y a divers accents (parisien, du sud, etc.). Combien d'accents américains existe-t-il? Quelles sont les différences entre l'accent d'un habitant de Brooklyn, New York et celui d'un habitant de Houston, Texas? Quels accents américains vous plaisent? Lesquels vous déplaisent? Pourquoi? Quel accent avez-vous? Pourriez (*could*) -vous le changer? Voulez-vous le faire? Pourquoi?

«*Si vous voulez être connu sans connaître, vivez dans un village; si vous voulez connaître sans être connu, vivez à la ville.*»

— *Proverbe anglais*

Devinez un peu

1. Qu'est-ce que Grenoble et Lake Placid, New York ont en commun?
   a. Absolument rien.
   b. Ces deux villes ont été complètement détruites pendant la deuxième guerre mondiale.
   c. Les Jeux Olympiques y ont eu lieu.
   d. Elles sont toutes deux au bord d'un lac.

2. L'hôtel de ville est
   a. la mairie d'une localité assez grande.
   b. l'hôtel principal dans une ville française.
   c. le nom d'une chaîne d'hôtels luxueux en France.
   d. le logement familial du maire d'une grande ville française.

3. Quelle est la différence entre Provence et province?
   a. Provence est la vieille orthographe de province.
   b. La Provence est une ancienne province.
   c. La province est la langue de la région dite Provence.
   d. Il n'y a pas de différence entre ces deux mots. Ils veulent dire la même chose.

4. Lille-Roubaix-Tourcoing forment une conurbation (*group of neighboring cities*) française. Un exemple de ce phénomène aux Etats-Unis est:
   a. Winston-Salem, Virginia.
   b. Portland, Oregon et Portland, Maine.
   c. Kansas City, Kansas.
   d. Boston, New York, Philadelphia, Washington.

5. Vers la fin de la deuxième guerre mondiale, les soldats alliés ont débarqué sur les plages de quelle région française?
   a. De la côte d'Azur.
   b. De Normandie.
   c. De Bretagne.
   d. D'Aquitaine.

6. Dans toutes les grandes villes, les heures de pointe posent un problème parce qu'il y a beaucoup de
   a. conduction.
   b. circulation.
   c. conversation.
   d. conversion.

7. Une des villes les plus célèbres de la Côte d'Azur s'appelle
   a. St. Emilion.
   b. St. Tropez.
   c. Deauville.
   d. Arcachon.

8. Laquelle des villes suivantes a appartenu au cours des siècles tantôt aux Français, tantôt aux Allemands?
   a. Avignon.
   b. Biarritz.
   c. Carcassonne.
   d. Strasbourg.

9. Où Napoléon est-il né?
   a. En Gascogne.
   b. En Picardie.
   c. En Corse.
   d. En Alsace.

10. Dans quelle ville française a lieu chaque année au mois de mai un grand festival cinématographique?
   a. Paris.
   b. Cannes.
   c. Le Mans.
   d. Nice.

> «Il y a des lieux que l'on admire; il y en a d'autres qui touchent, et où l'on aimerait vivre.»
>
> —Proverbe français

De Vrais Amis

Une des catégories de mot apparentés en français et en anglais se compose des verbes en -er et des substantifs dérivés de ces verbes. Voici les rapports entre ces mots.

Les Verbes qui se terminent en -er

Bien des verbes qui se terminent en -er en français se terminent en «-ate» en anglais. Par exemple:

animer   *to animate*

exagérer   *to exaggerate*

frustrer   *to frustrate*

halluciner   *to hallucinate*

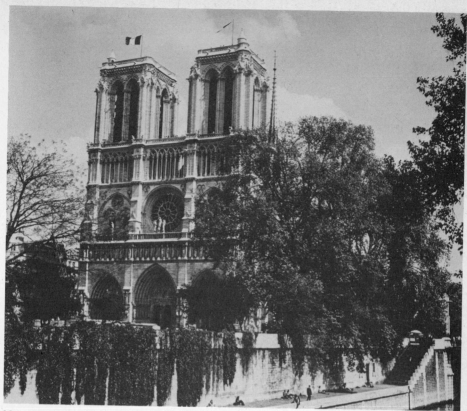

Notre-Dame de Paris

Pour beaucoup d'autres verbes en *-er*, il faut simplement éliminer cette terminaison afin de trouver son équivalent en anglais. Par exemple:

abandonner   *to abandon*

se déclarer   *to declare oneself*

planter   *to plant*

risquer   *to risk*

L'orthographe est rarement identique dans les deux langues.

A.   Trouvez dix exemples pour chacun des deux cas exposés ci-dessus.

MODELE: décorer *to decorate*

1.

2.

3.

etc.

MODELE: adorer *to adore*

1.

2.

3.

etc.

B. Trouvez des synonymes pour les expressions suivantes en utilisant des verbes apparentés en français et en anglais ayant la terminaison -er en français.

	Français	Anglais
1. reproduire exactement	_____	_____
2. apprécier l'importance d'une chose	_____	_____
3. introduire une personne auprès d'une autre	_____	_____
4. mettre de côté	_____	_____
5. employer tout son temps à	_____	_____
6. être contraire, faire obstacle à	_____	_____
7. faire sortir d'un endroit	_____	_____
8. établir les différences ou les ressemblances entre des personnes ou des objets	_____	_____

Les Substantifs dérivés de ces verbes

Pour former les substantifs dérivés des verbes en -er de la première catégorie, éliminez la terminaison -er et ajoutez -ation. Par exemple:

animer → l'animation

exagérer → l'exagération

frustrer → la frustration

halluciner → l'hallucination

(Ces mots en -ion sont toujours féminins.)

La formation des substantifs dérivés des verbes de la deuxième catégorie est plus complexe. Ces mots peuvent se terminer en -ance (f.), -ence (f.) -ment (m.), -age (m.), -tion (f.), -e (f.), etc.; ils sont très souvent similaires en français et en anglais. Par exemple:

juger / le jugement

référer / la référence

persécuter / la persécution

assassiner / l'assassinat (m.)

A. Formez les substantifs dérivés des verbes suivants.

1. pénétrer
2. exister
3. entourer
4. recommander

5. identifier
6. encourager
7. assurer
8. armer
9. préciser
10. coopérer

11. préférer
12. publier
13. impatienter
14. développer
15. simplifier

B. Trouvez les antonymes des mots suivants en employant des substantifs dérivés des verbes en -er.

1. l'unification
2. la décélération
3. le calme
4. la terminaison
5. la retraite

6. la ressemblance
7. l'oppression
8. la dispute
9. l'approximation
10. la complication

Le Vingtième Siècle

—Le prix du litre d'essence augmente lundi prochain... inflation galopante... déficit de la sécurité sociale...
grève des fonctionnaires...
—A part ça, quoi de neuf?

7

Les trois activités de ce chapitre vont vous permettre de discuter quelques aspects de notre époque. Vous allez d'abord répondre à des questions générales: Qui sont les gens qui font l'histoire? Quels sont les éléments communs aux personnes qui influencent le monde? Ensuite, vous allez choisir certains objets qui symbolisent les civilisations française et américaine actuelles. Finalement, vous allez traiter dans un débat plusieurs problèmes de la France actuelle.

Dans la seconde partie du chapitre, cinq sujets de composition vous proposent des questions pour comparer et contraster certains aspects de la vie en France et la vie aux Etats-Unis au vingtième siècle. Cette partie est suivie du jeu, *Devinez un peu*, qui va vous permettre de montrer vos connaissances de la vie quotidienne en France. Afin d'élargir votre vocabulaire français, le chapitre se termine par une explication de quelques ressemblances entre le français et l'anglais.

Le Vocabulaire essentiel...

l'abri *m.*   shelter

les actualités *f.*   news

le chômage   unemployment

le citoyen (la citoyenne)   citizen

entendre parler de   to hear about

l'expérience *f.*   experiment

la grève   strike

l'inondation *f.*   flood

partager   to share

puissant(e)   powerful

réagir   to react

rendre (célèbre)   to make (famous)

résoudre   to resolve

se tenir au courant   to keep informed

...et comment l'utiliser

A.   Trouvez l'équivalent de chaque expression.

1.   diviser en plusieurs parties; posséder avec d'autres
2.   une cessation volontaire et collective du travail
3.   les nouvelles du moment
4.   découvrir la solution
5.   s'informer de l'état d'une question, d'une situation
6.   un endroit où l'on peut se réfugier
7.   apprendre par la parole

B. Complétez les phrases avec les mots qui conviennent.

1. Actuellement, tous les pays, y compris la France et les Etats-Unis, doivent faire face à beaucoup de problèmes, tels que l'inflation et _____.

2. Le candidat parlait d'une voix _____.

3. _____ a confirmé l'hypothèse.

4. «Ni l'or ni la grandeur ne nous _____ heureux.» —La Fontaine

5. «Les temps font les hommes, et les hommes ensuite _____ sur leur temps.» —Lammenais

6. _____, causée par les pluies, couvrait les terres basses.

7. Il faut que chaque _____ obéisse aux lois.

Activités

Les Années 1950–1990

Vous connaissez sans doute le magazine appelé *Time* et vous avez reconnu probablement plusieurs personnalités qui ont paru sur la couverture (Woody Allen, le Pape, Margaret Thatcher). Il semble que la couverture la plus célèbre de chaque année soit celle que *Time* appelle «The Man of the Year» où l'on fait hommage aux plus grands apôtres de la paix dans le monde. Maintenant, vous avez l'opportunité d'attirer l'attention de vos camarades de classe sur les gens que vous admirez et qui ont contribué à quelque chose d'important dans la vie moderne. Voici comment.

Avec deux ou trois autres étudiants, formez un petit groupe et discutez des sujets suivants:

1. Pendant les années 1950–1960, qui a fait l'histoire dans votre pays ou dans le monde? Même si vous n'étiez pas encore né, de qui avez-vous entendu parler? de personnalités politiques? de scientifiques? de communistes? d'anticommunistes? Sont-ils (elles) célèbres maintenant? En quoi consiste leur célébrité? Y a-t-il quelqu'un ayant vécu dans cette période qui a influencé votre vie? Qui est-ce? Comment?

2. Dans les années soixante, quels groupes de personnes ont changé le cours de l'histoire? Les «hippies»? les astronautes? les déserteurs du Viêt-Nam? les féministes? Qu'est-ce qu'ils ont changé? Comment? Les résultats de leurs efforts existent-ils de nos jours?

3. Qui a dominé les années soixante-dix? Les musiciens? les athlètes? les économistes? les chefs politiques des nouvelles républiques africaines? des pays pétroliers? Qui est la personne que vous admirez le plus de cette époque? Qui est la personne la plus importante? Décrivez-les et justifiez vos choix. Quelles sont vos prévisions (*predictions*) pour les années quatre-vingts? Quelles différences possibles voyez-vous entre les années soixante-dix et les années quatre-vingts?

4. En résumé, essayez de trouver les gens qui ont rendu les années 1950–1980 célèbres en dédiant chaque période de dix ans à un groupe ou à une personne. Expliquez à qui vous dédiez les années cinquante, les années soixante et les années soixante-dix et pourquoi. Enfin, partagez vos décisions avec les autres groupes et comparez vos observations sur les personnages importants dans l'histoire moderne.

> «La célébrité, c'est l'avantage d'être connu de ceux qui ne vous connaissent pas.»
>
> —*Proverbe français*

> «Les grands hommes sont des météores destinés à brûler pour éclairer la terre.»
>
> —*Napoléon*

Un Voyage fantastique

Une expérience franco-américaine va bientôt aboutir à (*to result in*) quelque chose d'extraordinaire. Une équipe de scientifiques est en train de perfectionner une machine à voyager qui peut transporter des gens au vingt-cinquième siècle. Quelques volontaires vont partir dans quinze jours franchir la barrière du temps. Vous et des collègues pensez qu'il serait intéressant d'envoyer avec eux quelques objets qui représentent la France et les Etats-Unis au vingtième siècle. Etant donné les limitations physiques du véhicule (il est approximativement aussi grand qu'une cabine téléphonique), qu'est-ce que les voyageurs peuvent prendre avec eux dans les catégories suivantes? Parlez-en avec deux ou trois de vos confrères.

1. Articles qui se trouvent dans la maison: une télévision? une photo de la famille française (américaine) typique? un poster?

2. Articles de la vie quotidienne en dehors de la maison: un ticket de métro? des cartes de crédit? un magazine? des fleurs?

3. Vêtements: des chaussures de tennis? un bikini? un anorak? des blue-jeans? un béret?

4. Objets d'art: une peinture? (laquelle?) une sculpture? un livre? des bijoux? une tour Eiffel en miniature?

5. Distractions: un film? (lequel?) une piscine pliable (*collapsible*)? une mini-cassette? un frisbee? un instrument de musique? un jeu de cartes?

Après avoir discuté de vos choix, présentez vos suggestions à tout le groupe afin que les autres puissent les approuver et vérifier que vous n'avez rien oublié d'important.

Un Débat

Comme tous les pays développés, la France fait face à beaucoup de problèmes. L'inflation, la consommation de l'énergie, les centrales nucléaires, la surpopulation des grandes villes, la pollution, le chômage, les travailleurs immigrés, sont des questions qui touchent à tous les secteurs de la population. Est-il possible de résoudre ces problèmes? Qui va en découvrir les solutions? Les politiciens? les économistes? les sociologues? vous?

La liste ci-dessous pose cinq problèmes actuels. Maintenant, formez des groupes de quatre à six personnes et étudiez cette liste; vous allez devoir débattre d'une de ces actualités.

1. Il est essentiel que tout le monde, femmes comprises, fasse le service militaire pendant un certain temps. (En France, comme dans la plupart des pays européens, un an de service militaire est obligatoire seulement pour les hommes.)

2. Dans le monde moderne, la peine de mort est un vestige de brutalité archaïque et inutile.

3. Il ne faut surtout pas que nous combattions le communisme.

4. Il est évident que le matérialisme tel qu'on le pratique au vingtième siècle va mener le monde à la destruction.

5. Dans les pays développés, il est juste que l'immigration soit limitée pour protéger le niveau de vie des habitants.

Dans chaque groupe, il est d'abord nécessaire que vous définissiez chaque sujet. Par exemple, qu'est-ce que le service militaire? Qu'est-ce que l'on y fait?

Quels moyens utilise-t-on pour infliger la peine de mort? Qui sont les gens qui veulent immigrer? Ensuite, décidez du sujet que vous allez débattre. Puis, discutez-en et choisissez des orateurs (un ou deux) pour exposer le pour et le contre du problème.

C'est maintenant que le vrai débat commence. Devant toute la classe, les argumentateurs de chaque groupe vont parler pendant deux minutes pour donner chacun leurs opinions. Leurs équipes vont prendre des notes et après ces discours, un autre membre de chaque côté va disposer d'une minute pour répondre aux points soulevés (*raised*) par l'adversaire. A la fin de chaque débat, ouvrez la discussion pour que toute la classe puisse y participer afin de trouver une solution au problème exposé.

Sujets de composition

Faites une composition écrite ou orale sur deux des sujets suivants.

Les Actualités

Pensez-vous qu'il soit nécessaire de se tenir au courant des actualités américaines et mondiales? Si oui, comment vous informez-vous? Si non, pourquoi pas? Quelles parties d'un journal lisez-vous régulièrement? Quels journaux connaissez-vous? Lesquels préférez-vous? Quelle est la fonction des journaux?

Comment réagissez-vous?

Quelle est votre réaction quand vous apprenez: (1) que la collision de deux avions à 500 kilomètres de chez vous vient de tuer 185 personnes? (2) qu'un personnage important en Europe a été kidnappé par des terroristes? (3) que les victimes d'une inondation près de votre habitation ont besoin d'aide? (4) que l'âge minimum pour le permis de conduire a été repoussé jusqu'à dix-huit ans? Devez-vous réagir à toutes ces nouvelles? Comment? Avec qui discutez-vous de tels événements? Quel est le résultat de vos discussions? Que reprochez-vous aux journaux américains en ce qui concerne le reportage d'événements dans votre pays et à l'étranger?

La Presse libre

En France et aux Etats-Unis, la presse est libre. Qu'est-ce que cela veut dire? Y a-t-il des limitations à cette liberté? Trouvez-vous que ce soit une bonne chose? Croyez-vous que les journaux forment nos opinions? Justifiez vos réponses.

Le Socialisme

Dans une république socialiste telle que la France, le gouvernement fournit beaucoup de choses aux citoyens: éducation gratuite (y compris l'université), médecine conventionnée, allocations familiales, etc. Quel(s) service(s) le gouvernement américain vous offre-t-il? Pourquoi faut-il que les étudiants américains paient leurs études universitaires? Comment fonctionne le système médical américain? Pensez-vous que l'on doive avoir un système de médecine socialisée aux Etats-Unis? Justifiez votre réponse.

Allocations familiales

En France, il y a plusieurs sortes d'allocations familiales—pour les nouveaux mariés, pour les familles nombreuses (ayant trois enfants ou plus), pour les salariés, etc. Qui peut recevoir des allocations gouvernementales aux Etats-Unis: les nouveaux mariés, les familles nombreuses, les salariés? Pensez-vous que tous ces programmes soient nécessaires aux Etats-Unis? Qu'est-ce que le gouvernement américain vous doit: une éducation, un emploi, une vie à l'abri du besoin, quelque chose d'autre? Voulez-vous que le gouvernement américain vous garantisse plus de choses qu'il ne le fait maintenant?

Devinez un peu

1. Peu avant la première guerre mondiale, la _____ est devenue une arme puissante des ouvriers.
   a. grève
   b. pause-café
   c. cafétéria
   d. voiture particulière

2. Au seizième siècle, Nostradamus a prédit qu'un général ayant le nom de son pays devrait s'exiler, mais qu'il reviendrait dans sa patrie pour la restructurer. Il s'agit de
   a. Anatole France.
   b. George Washington.
   c. Charles de Gaulle.
   d. Al Magne.

3. Combien de républiques la France a-t-elle connues depuis la révolution jusqu'à aujourd'hui?
   a. trois
   b. une
   c. cinq
   d. quinze

4. Lequel des pays suivants ne fait pas partie du Marché Commun créé en 1957?
   a. la France
   b. l'Allemagne de l'Ouest
   c. la Suisse
   d. la Belgique

5. Le film américain *Le Jour le plus long* parle du
   a. jour où de Gaulle a démissionné.
   b. jour du débarquement en Normandie.
   c. jour où les manifestations ont commencé en mai 1968.
   d. 21 juin, jour de solstice.

6. A la fin de la deuxième guerre mondiale, le gouvernement français a nationalisé une compagnie automobile française. Laquelle?
   a. Chevrolet
   b. BMW
   c. Fiat
   d. Renault

7. Aux termes de la constitution française ratifiée en 1958, quelle est la durée du mandat du président élu au suffrage universel direct?
   a. quatre ans
   b. sept ans
   c. quinze ans
   d. jusqu'à sa mort

8. Que signifie le sigle (*acronym*) S.N.C.F., créé en 1937?
   a. Sécurité Néo-Communiste Fédérée
   b. les Socialistes Non-Combattants Français
   c. Structure Nouvelle des Contrôles Financiers
   d. la Société Nationale des Chemins de Fer Français

9. L'avion commercial français-anglais supersonique controversé s'appelle
   a. le Mirage.
   b. le Falcon.
   c. le Concorde.
   d. le Commander.

10. Pour des raisons économiques, le franc a été dévalué en 1958. Depuis, 100.000 anciens francs valent _____ nouveaux francs.
    a. 10
    b. 100
    c. 1.000
    d. 1.000.000

«*Quand j'aurai appris qu'une nation peut vivre sans pain, alors je croirai que les Français peuvent vivre sans gloire.*»

—*Napoléon*

De Vrais Amis

Pour décrire la France et les Etats-Unis au vingtième siècle, il est possible d'employer beaucoup de mots similaires en français et en anglais. En voici quelques-uns.

1. Les substantifs français en -*isme* (toujours masculins) ont souvent la terminaison «-*ism*» en anglais.

   le chauvinisme   *chauvinism*

   le patriotisme   *patriotism*

   l'impressionnisme   *impressionism*

2. Les substantifs en *-sion* et *-tion* (toujours féminins) sont d'habitude identiques en français et en anglais:

la cohésion   *cohesion*

la migration   *migration*

l'expression   *expression*

3. Les adjectifs français en *-iste* se terminent par «*-ist*» en anglais la plupart du temps:

structuraliste   *structuralist*

anarchiste   *anarchist*

réaliste   *realist*

4. Les adjectifs en *-al* et *-el* sont souvent similaires en français et en anglais. (attention à l'orthographe de ces adjectifs. Elle ne correspond pas toujours dans les deux langues):

radical   *radical*

frugal   *frugal*

essentiel   *essential*

A. Pouvez-vous trouver dix mots qui sont similaires dans les deux langues pour chaque catégorie présentée ci-dessus?

-isme	-sion, -tion	-iste	-al, -el

1. _____

2. _____

3. _____

4. _____

5. _____

6. _____

7. _____

8. _____

9. _____

10. _____

B. Décrivez en cinq ou six phrases une personnalité française et une personnalité américaine au vingtième siècle en vous servant des mots similaires que vous avez trouvés.

C. Faites deux listes de mots terminants par *-isme* qui évoquent le vingtième siècle (le capitalisme, le féminisme, etc.): l'une qui décrit la France moderne et l'autre les Etats-Unis. Il est possible que certains mots figurent dans les deux listes.

D. Expliquez brièvement ce qui se passe actuellement dans une dizaine de pays en utilisant des mots similaires en français et en anglais. Commencez chaque phrase par une opinion ou par un jugement qui exige le subjonctif ou l'indicatif selon le cas. Voici des exemples:

1. Il semble qu'une révolution soit en train de se faire en Chine.

2. Je ne pense pas qu'il y ait de l'animosité entre les Français et les Allemands actuellement.

3. Il est possible qu'une femme devienne présidente des Etats-Unis.

«Le seul moyen d'obliger les hommes à dire du bien de nous, c'est d'en faire.»

—Voltaire, 1731

Le Français dans le monde

"Voyager, rien de tel pour apprendre une langue étrangère."

8

Ce chapitre vous présente quelques activités sur le thème du monde francophone. Tout d'abord, vous allez examiner une carte des pays francophones. Ensuite, vous allez faire un voyage imaginaire sans vous éloigner de l'Amérique, dans des pays où l'on parle français: c'est-à-dire, le Canada et les îles Caraïbes. Vous allez être guide dans un parc national canadien, puis, vous allez être chargé d'organiser des voyages à la Martinique, à la Guadeloupe et à Haiti.

Les quatre sujets de composition vous encouragent à élargir votre champ de discussion sur le français dans le monde. Vous allez discuter du pour et du contre des voyages à l'étranger en général. En même temps, vous allez réfléchir aux questions suivantes: En quoi consiste le chauvinisme américain? Quelle est l'attitude américaine envers le monde non-anglophone?

Devinez un peu et *De Vrais Amis* terminent cette petite étude. *Devinez un peu* soulève dix questions à propos de l'influence française dans le monde. *De Vrais Amis* sont très utiles pour les anglophones qui parlent français car ils soulignent les correspondances entre les deux langues.

Le Vocabulaire essentiel...

attirer to attract

le billet aller-retour round-trip ticket

la caisse cashier's desk

le concours competition

faire la queue to stand in line

le francophone French-speaking person

le guichet counter

l'horaire *m.* schedule

interdit(e) prohibited

nourrir to feed

s'occuper de to take care of

parcourir to travel through, to go over

la plupart de the majority of

profiter de to take advantage of

toucher un chèque to cash a check

le vol flight

les w.c. restroom

...et comment l'utiliser

A. Trouvez l'équivalent de chaque expression.

1. défendu

2. un voyage en avion

3. les cabinets (les toilettes)

4. donner à manger

B. Complétez les phrases avec les mots qui conviennent.

1. Je ne veux pas me contenter de _____ l'Europe en trois mois; je compte y rester un an pour vraiment _____ de mon séjour.

2. Un _____ n'est pas nécessairement né en France.

3. La confiture _____ les abeilles.

4. _____ des Américains ne croient pas réellement à une crise du pétrole.

5. Payez vos provisions à _____.

6. Pour gagner un peu d'argent de poche, je _____ d'enfants.

7. Un _____ est souvent moins cher que deux allers simples.

8. Où se trouve _____ qui indique quand _____ de musique va commencer?

9. Dans une banque, il faut habituellement _____ devant n'importe quel _____. Aussi, il faut présenter une pièce d'identité pour _____.

Activités

La Francophonie

Evidemment, le français ne se parle pas seulement en France. Comme l'anglais, le français est devenu une langue mondiale. Il y a ci-dessous une carte et une liste de pays, catégorisés selon les continents où ces nations se trouvent, où le français est une des langues officielles. Avec un(e) camarade de classe, essayez de compléter la carte en y inscrivant les numéros des pays francophones indiquant leur emplacement sur la carte. Nous l'avons commencée pour vous.

L'Afrique

1. l'Algérie
2. la Côte d'Ivoire
3. la Guinée
4. le Maroc
5. le Niger
6. le Tchad
7. la Tunisie
8. le Zaïre

L'Amérique

9. la Guadeloupe
10. la Guyane française
11. Haïti
12. la Louisiane
13. la Martinique
14. le Québec

L'Asie

15. le Cambodge
16. le Laos
17. le Viêt-Nam

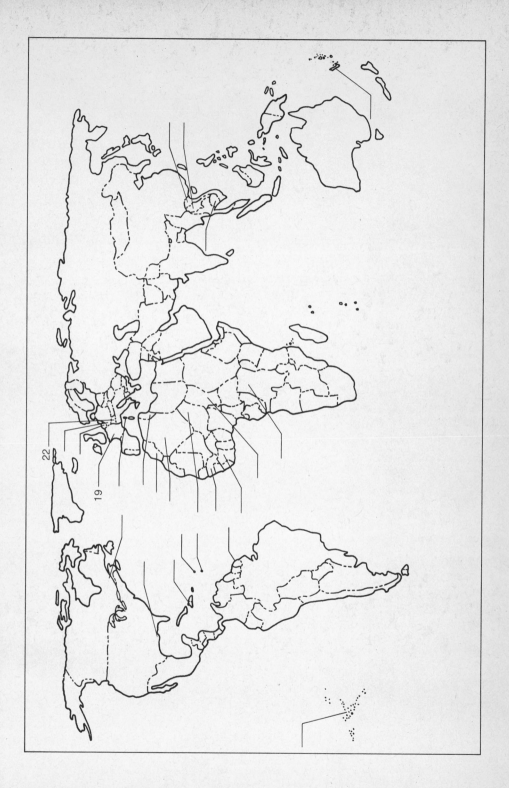

22

19

L'Europe

18. la Belgique
19. la France
20. le Luxembourg
21. le Monaco
22. la Suisse

Les Iles du Pacifique

23. la Polynésie française
24. la Nouvelle-Calédonie

Soyez les bienvenus au Canada, mais...

Vous êtes actuellement garde forestier au fort Walsh,* un parc national canadien, et vous vous préparez à accueillir un nouveau groupe de touristes ce weekend. Comme d'habitude, vous allez donner une brève introduction sur le règlement du parc à ceux qui visitent la région pour la première fois.

---

*Le fort Walsh, construit en 1875, fut l'un des premiers postes de la police montée canadienne. Plusieurs colons américains s'adonnaient au (*indulged in*) trafic illégal du whisky avec les Indiens qui, eux, cherchaient refuge au Canada après des batailles avec la cavalerie américaine. En 1873, les Blancs tuèrent vingt Indiens tout près de l'emplacement actuel du fort Walsh. Ce massacre hâta le recrutement de membres de la police montée du Nord-Ouest.

Comme vous le savez, les visiteurs sans expérience sont capables de faire beaucoup de bêtises allant à l'encontre de (*which endanger*) la beauté du parc et du bienêtre des animaux qui y vivent. Vous allez donc expliquer à votre public les raisons pour lesquelles il ne peut pas agir selon tous ses désirs.

Maintenant choisissez un(e) collègue ou deux pour vous aider à finir votre petit discours. Vous avez déjà pris note des activités favorites des touristes; relisez-les et ensuite écrivez des impératifs qui expliquent pourquoi les touristes ne peuvent pas faire telle ou telle chose. Soyez ferme; mettez tous les impératifs au négatif. Les deux premiers commentaires sont déjà rédigés.

Les observations		*Les éléments négatifs*
1. Tout le monde veut voir les ours...	*mais*	ne pas oublier / bêtes sauvages / dangereuses
		ne pas nourrir / animaux sauvages
		ne pas vous approcher de / bête

(Tout le monde veut voir les ours, mais n'oubliez pas que les bêtes sauvages sont très dangereuses. N'essayez ni de nourrir les animaux sauvages ni de vous approcher d'eux.)

2. Beaucoup de gens aiment faire de la marche pour regarder les fleurs et les arbustes (*bushes*)...	*mais*	ne pas toucher
		ne pas cueillir

(Beaucoup de gens aiment faire de la marche pour voir les fleurs et les arbustes, mais ne touchez pas aux fleurs sauvages et ne les cueillez jamais.)

3. Ce parc se prête au camping...	*mais*	ne pas couper / bois
		ne pas allumer / feux de camp / l'arrière-pays
		ne pas dresser / tente / excepté / secteurs désignés
4. Bien des gens aiment amener leur chien dans le parc...	*mais*	ne pas laisser courir / chien / sans laisse (*leash*)
5. Les touristes vont manger et boire et ça va se voir (*to be noticeable*)...	*mais*	ne rien jeter / par terre
6. Les photographes amateurs vont prendre des photos n'importe où...	*mais*	ne pas arrêter / voiture / milieu de la route
		ne pas gêner / autres

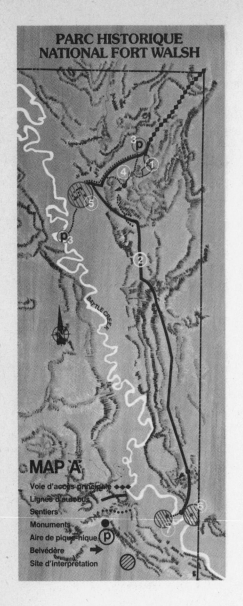

PARC HISTORIQUE NATIONAL FORT WALSH

MAP A

Voie d'accès principale
Lignes d'autobus
Sentiers
Monuments
Aire de pique-nique.
Belvédère
Site d'interprétation

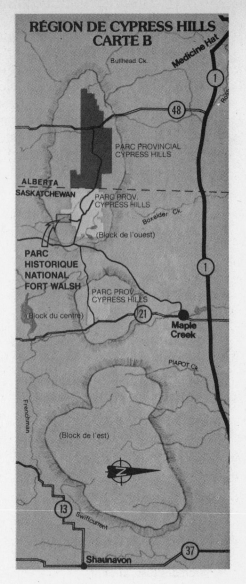

RÉGION DE CYPRESS HILLS
CARTE B

Bullhead Ck.

Medicine Hat

PARC PROVINCIAL
CYPRESS HILLS

ALBERTA
SASKATCHEWAN

PARC PROV.
CYPRESS HILLS

Boxelder Ck.

(Block de l'ouest)

PARC
HISTORIQUE
NATIONAL
FORT WALSH

PARC PROV.
CYPRESS HILLS

(Block du centre)

Maple
Creek

PIAPOT Ck.

Frenchman

(Block de l'est)

Swiftcurrent

Shaunavon

7. La plupart des touristes veulent voir tout le parc et se promener en voiture...

mais

ne pas utiliser / véhicules tout-terrain

ne pas dépasser / limites de vitesse

8. Certains promeneurs aiment parcourir l'arrière-pays, les endroits isolés...

mais

ne pas partir du camp / signaler départ et arrivée

temps variable / ne pas oublier / vêtements chauds / provisions

9. Dans les parcs nationaux, beaucoup de visiteurs cherchent l'aventure, ils veulent faire quelque chose de différent...

mais

ne pas dépasser / capacités physiques

ne rien essayer de nouveau / vous renseigner

10. Quand on est en vacances, on veut profiter des soirées...

mais

ne pas déranger / autres

ne pas faire trop de bruit

ne pas utiliser motos / vingt heures

«De toutes les richesses du Canada, la plus importante est sa culture bilingue.»

—Proverbe canadien

Un Vol aux pays francophones

Vous travaillez actuellement pour une ligne aérienne américaine qui déssert (*serves*) principalement le Canada, la Guadeloupe, Haïti et la Martinique. Pour inviter les gens à prendre vos avions quand ils ont pour destination des pays francophones, vous utilisez la technique suivante: pendant le vol, vous apprenez aux passagers des phrases en français et des questions fondamentales pour qu'ils puissent profiter autant que possible de leur séjour.

Puisque vous avez étudié le français à l'université, vous vous sentez assez compétent(e) pour organiser ce programme. Discutez-en avec deux ou trois de vos collègues et faites une liste des questions et des phrases nécessaires pour un(e) touriste qui part pour un de ces pays. Vous allez probablement traiter quelques-uns de ces sujets:

L'Argent

le change
le chèque de voyage
le guichet
l'horaire (m.) de la banque
toucher un chèque

Les Hôtels

bon marché
la clef: laisser la clef
la douche: avec (sans) douche
l'étage
la note: payer la note
la serviette
les w.c.

Les Restaurants

l'addition f.
la boisson
cher (moyen)
coûter
désirer (ne pas vouloir)
le légume
le poisson
le pourboire
prendre
service compris
la viande

Les Loisirs

en avant (en arrière)
le bureau de location
le guide
le monument
l'ouvreuse
la place
le plan
le site
la sortie

Les Courses

l'annuaire
la carte
envoyer (une lettre, un télégramme)
l'essence
à l'étranger
louer (une voiture, un vélomoteur)
P.C.V. (*collect call*)
le permis de conduire
la standardiste
téléphoner
le timbre

Les Transports

l'aller simple (l'aller et retour)
l'arrêt
la consigne
la couchette
ne pas fumer
le quai
la queue: faire la queue
occupé(e)
la valise
la voie
le vol

Les Magasins

la caisse
le gramme (la livre, la tranche)
peser
la pointure
le rayon
le sac en plastique
en solde, en vente
se trouver
la taille

Divers

l'assurance de frais médicaux
avoir besoin de
au secours
l'hôpital
interdit de... (ne pas...)
laver (couper) les cheveux
le médecin
le numéro
le salon de coiffure
le temps

Maintenant, composez trois à cinq phrases ou questions dans chaque catégorie, puis comparez-les avec celles des autres dans la classe. Etes-vous sûr(e) de n'avoir rien oublié d'important?

«Qui n'a pas quitté son pays est plein de préjugés.»

—*Proverbe italien*

Sujets de composition

Faites une composition écrite ou orale sur deux des sujets suivants.

Les Voyages

Quels voyages avez-vous faits? Pour quelles raisons voyage-t-on? Justifiez la citation suivante: Les voyages élargissent l'horizon de quelqu'un. Pensez-vous que ce soit toujours vrai?

Les Voyages à l'étranger

Quels pays étrangers comptez-vous visiter un jour? Pourquoi ces pays vous attirent-ils? De quelle manière votre connaissance du français pourrait-elle vous être utile? Hésitez-vous à envisager un voyage dans un pays étranger sans en connaître la langue? Pourquoi? Quels problèmes (matériaux, personnels, etc.) peuvent se présenter au cours d'un voyage à l'étranger? Quel âge devrait-on avoir avant de partir pour l'étranger? Expliquez votre réponse.

Le Chauvinisme

Le mot «chauvinisme» date de l'époque de Napoléon quand Nicolas Chauvin, un soldat français, s'est fait connaître pour son patriotisme immodéré et pour son dévouement (*devotion*) à Napoléon. Que veut dire «chauvinisme» aujourd'hui? Avez-vous tendance à croire que tout ce qui est américain est parfait? Expliquez. Vous considérez-vous chauvin(e)? Dans quel sens du mot? Pourquoi?

Les Causes du chauvinisme

Quelles sont les causes du chauvinisme au sens le plus large du mot? Faut-il éliminer ce genre d'attitude? Comment? Expliquez comment les cas suivants montrent différents aspects du chauvinisme: (1) La plupart des diplomates américains ne parlent aucune langue étrangère. (2) Un professeur québecois de lettres modernes n'enseigne que les influences françaises sur la littérature canadienne contemporaine. (3) Une famille française passe toujours ses vacances dans un pays francophone. (4) Au dix-neuvième siècle les grands pays développés tels que l'Angleterre, la Belgique et la France ont établi beaucoup de colonies dans le monde entier.

L'aérogare Mirabel à Québec

DESTINATIONS	CAYENNE	RÉUNION VOYAGES POUR TOUS	NEW YORK*	MONTRÉAL*
DÉPART DE	Paris Charles-de-Gaulle	Paris-Orly Lyon - Marseille	Paris-Orly	Paris-Orly
DATE D'OUVERTURE	15 Mars	1er Mars	17 Mai	21 Mai
PRIX ALLER-RETOUR	**3380F** Du 15 Mars au 19 Juin et du 21 Septembre au 14 Décembre **3705F** Du 20 Juin au 20 Septembre	**4140F** Du 1er Mars au 30 Juin et du 16 Septembre au 14 Décembre **4530F** Du 1er Juillet au 15 Septembre	**2250F** Jusqu'au 14 Juin et à compter du 15 Septembre **2500F** Du 15 Juin au 22 Juillet et du 12 Août au 14 Septembre **2750F** Du 23 Juillet au 11 Août	**2250F** Du 21 Mai au 14 Juin et à compter du 15 Septembre **2500F** Du 15 Juin au 22 Juillet et du 12 Août au 14 Septembre **2750F** Du 23 Juillet au 11 Août
FRÉQUENCES	Jusqu'au 25 Juin : le Vendredi Du 26 Juin au 13 Septembre : le Mardi	Du 2 Avril au 27 Juillet : Quotidien, sauf Lundi - Mardi Du 28 Juillet au 4 Août : Quotidien, sauf Mardi Du 5 Août au 15 Septembre : Quotidien Du 16 Septembre au 31 Octobre : Quotidien, sauf Lundi - Mardi Lyon : Mercredi Marseille : Jeudi - Dimanche	Du 17 Mai au 1er Juin et du 16 Septembre au 10 Octobre : Samedi Du 2 Juin au 14 Juin : Samedi - Lundi Du 15 Juin au 15 Septembre : Lundi - Vendredi Samedi Dimanche	Du 21 Mai au 4 Juin : Mercredi Du 5 Juin au 15 Octobre : Mercredi - Jeudi
DURÉE DU SÉJOUR	1 An maximum	1 An maximum	14 - 60 Jours	14 - 60 Jours

Devinez un peu

1. *Francophone*
   a. veut dire *qui parle français.*
   b. est un phonographe français.
   c. est le nom de la compagnie qui s'occupe du téléphone en France.
   d. est un téléphone avec lequel on peut téléphoner n'importe où en France.

2. Lequel de ces pays indochinois était une colonie française de 1850 à 1954, date de la défaite de l'armée française à Dien Bien Phu?
   a. les Indes
   b. la Malaisie
   c. les îles Philippines
   d. le Viêt-Nam

3. Le couscous est
   a. une horloge suisse.
   b. une personne stupide.
   c. un mets algérien.
   d. un mari trompé.

4. En Suisse on parle
   a. uniquement suisse.
   b. français.
   c. trois langues.
   d. français et allemand.

5. La Louisiane est nommée d'après
   a. Louisa M. Alcott.
   b. St. Louis
   c. Le Roi Soleil.
   d. la première femme de l'empereur Napoléon.

6. Le peintre Gauguin a passé la plupart de sa vie
   a. à Tahiti.
   b. en France.
   c. en Afrique.
   d. en Chine.

7. Waterloo est une ville qui se trouve
   a. en Russie.
   b. en Hollande.
   c. en Belgique.
   d. en Pologne.

8. La plupart des Canadiens-Français habitent
   a. au Québec.
   b. au Manitoba.
   c. en Nouvelle Ecosse.
   d. à Terre Neuve.

9. Avant 1971, le Zaïre (qui veut dire *le fleuve*) s'appelait
   a. la petite France.
   b. le Zanesville.
   c. le Congo belge.
   d. la Moyenne Afrique.

10. Le film célèbre *Casablanca* avec Humphrey Bogart et Ingrid Bergman a lieu dans quel pays francophone?
    a. la Tunisie
    b. l'Algérie
    c. la Côte d'Ivoire
    d. le Maroc

«*Les yeux de l'étranger voient plus clair.*»

—*Proverbe anglais*

De Vrais Amis

Il n'est pas toujours possible d'être affirmatif quand vous dites ou écrivez quelque chose en français. Au cas où vous avez besoin de vous exprimer au négatif, voici quelques suggestions.

Les Préfixes négatifs *im-*. *in-*

Vous connaissez maintenant beaucoup d'adjectifs semblables en français et en anglais. Certains adjectifs qui expriment un défaut ou une négation se forment d'une façon semblable dans les deux langues. Par exemple, les adjectifs ayant les préfixes *im-* et *in-* en français correspondent souvent aux mêmes adjectifs en anglais.

patient(e) / impatient(e)

humain(e) / inhumain(e)

A. Formez le contraire des adjectifs ci-dessous.

1. possible
2. mobile
3. moral(e)
4. exact(e)
5. flexible
6. différent(e)

7. éligible
8. probable
9. délicat(e)
10. prudent(e)
11. cohérent(e)
12. variable

B. Donnez une brève définition en français des adjectifs suivants.

1. intolérant(e)
2. inséparable
3. impartial(e)
4. indépendant(e)
5. impur(e)

Le Préfixe *anti-*

Le préfixe *anti-* indique la même chose en français et en anglais, c'est-à-dire l'opposition ou l'hostilité. Trouvez le mot ayant le préfixe *anti-* qui complète chacune des phrases suivantes.

1. Une personne qui déteste les Juifs est anti- _____.
2. Une personne qui n'aime pas la compagnie des gens est anti- _____.

3. Une personne qui n'accepte pas l'église est anti- _____.

4. Une personne qui ne pratique pas les sports est anti- _____.

5. Une personne qui ne se soumet pas aux règles de la société est anti- _____.

Un Mélange de préfixes négatifs

Voici d'autres mots ou préfixes négatifs qui expriment la même chose en anglais et en français: *a-, contre-, dis-, ir-, non-*. Donnez le mot qui correspond à la définition.

1. qui n'est pas responsable de ses actes
2. pas qualifié
3. pas symétrique, pas uniforme
4. qui n'a aucune opinion politique
5. dire le contraire
6. un manque de parité
7. un manque de révérence
8. ne pas continuer
9. la perte de crédit
10. ce qui n'existe pas

Sports et loisirs

"Je n'aime pas vraiment skier mais j'adore les moniteurs."

9

Dans ce chapitre vous examinerez les sports et les loisirs en France et aux Etats-Unis. Dans la première activité, vous déciderez où certains Français et Américains pourraient passer leurs vacances l'été prochain. Ensuite, vous ferez connaître aux Français les sports préférés des Américains. Après, vous discuterez de la nécessité d'être en forme maintenant et à l'avenir.

Les six sujets de composition soulèvent la question du temps libre. Vous pourrez réfléchir à des questions telles que: En quoi consistent les loisirs? Est-ce que tout le monde en a besoin? Comment passez-vous votre temps libre?

La dernière partie du chapitre se propose d'élargir votre vocabulaire français et de vous mettre au courant sur les sports en France. Attention! A vos marques. Prêts? Partez!

Le Vocabulaire essentiel...

l'avenir *m.* future

la balade stroll

se déplacer to move, to travel

être en forme to be in shape

la randonnée excursion

le régime a diet

selon according to

surveiller to watch over

le tournoi tournament

le train de vie lifestyle

le troisième âge old age, senior citizens

...et comment l'utiliser

A. Trouvez le contraire de chaque expression.

1. la jeunesse

2. le passé

3. négliger

4. rester chez soi

B. Complétez les phrases avec les mots qui conviennent.

1. Pour _____, il faut faire un minimum d'exercice tous les jours. Il est nécessaire aussi de surveiller votre _____.

2. Un bon moyen pour être en bonne condition est de faire _____ après chaque repas.

3. Il ne faut pas beaucoup d'argent pour accomoder le _____ d'un étudiant.

4. Tous les champions de tennis ont commencé à participer aux _____ professionnels à un très jeune âge.

5. Mon frère, qui est bon cycliste, fait une longue _____ à bicyclette chaque weekend. C'est la meilleure façon de se sentir bien _____ lui.

Activités

Où vont-ils cette année?

Où est-ce que les gens aiment passer leurs vacances? Voici une liste d'Américain(e)s et de Français(es) qui prennent des vacances régulièrement, ainsi qu'une liste de dix façons différentes de le faire (une randonnée à bicyclette, un tournoi marocain, une escapade périlleuse dans le «far ouest» des Etats-Unis, etc.). Avec quelques camarades, étudiez ces deux listes. Puis trouvez les vacances qui, selon vous, conviendraient le mieux à chaque personne de la liste. (Tout le monde peut se déplacer n'importe où; par exemple, un Américain peut partir pour la France, une Française peut se rendre aux Etats-Unis.)

Après avoir fait tous les assortiments (*matching*), notez en deux ou trois phrases les raisons pour lesquelles vous pensez que telles vacances feraient plaisir à telle personne.

Les Voyageurs

1. le (la) président(e) français(e)
2. une Américaine vedette de cinéma
3. une championne de tennis américaine
4. un jeune architecte français
5. une Française, étudiante en Lettres
6. un grand chef américain
7. une psychologue française, 33 ans
8. un professeur français de Nice qui vient de se marier, 42 ans
9. une secrétaire américaine, 26 ans
10. le directeur général des Parfums Givenchy

Les Aventures

1. un tournoi de bridge à Marrakech suivi d'une semaine de pêche
2. une randonnée «vélo» de dix jours dans de petits villages des Pyrénées; des pique-niques
3. trois semaines tranquilles sur un pittoresque bateau à voiles américain avec son équipage; croisière (*cruise*) en Guadeloupe
4. un séjour de dix jours dans un «rancho» du Nouveau-Mexique; un weekend au festival de l'opéra de Santa Fé
5. deux semaines de soleil à l'île St. Thomas; détente et divers sports à volonté; cuisine diététique
6. dix jours de safari-photos en Utah et en Arizona; possibilité de descente à pied dans le Grand Canyon
7. une «halte de prière» d'une semaine dans un monastère des Alpes; camping sur les lieux
8. une promenade de deux semaines en montgolfière (ballon à l'air chaud); visite de châteaux, de restaurants, de vignobles dans la vallée de la Loire
9. une évasion totale: trois semaines à Hawaii; plages sublimes; balades à pied; gastronomie polynésienne
10. une excursion de dix jours sur le Rio Grande en radeau (*raft*) au Texas; paysage très insolite, complètement isolé

> *«Les voyages sont la partie frivole de la vie des gens sérieux,*
> *et la partie sérieuse de la vie des gens frivoles»*
>
> —*Proverbe russe*

Les règles du jeu

Vous commencez à connaître un groupe d'étudiants français qui sont venus aux Etats-Unis faire leurs études universitaires. Comme vous, ils s'intéressent aux activités sportives mais leur connaissance des sports collectifs américains est très limitée. Vous décidez d'y remédier. Voici comment.

Avec quelques amis américains, vous expliquerez l'un des sports suivants aux Français: le base-ball, le football américain, le basket-ball ou le hockey. Pour que ces étudiants puissent vraiment apprécier le sport, il faudra leur décrire:

1. les règles du jeu: le nombre de joueurs, la durée du jeu, comment on gagne un match
2. le terrain de sport, l'équipement nécessaire, les uniformes
3. les joueurs (professionnels et amateurs): les qualités physiques et morales nécessaires
4. les tournois professionnels qui auront lieu cette année; comment les équipes seront éliminées; le prix pour l'équipe gagnante

Le vocabulaire suivant vous sera utile:

Le Base-ball

l'arbitre (*m.*)   *umpire*

l'attrapeur (*m.*)   *catcher*

la base (du batteur)   *base (home plate)*

le batteur   *batter*

le champ   *outfield*

un coup manqué   *strike*

l'équipe (*f.*)   *team*

faire, marquer plusieurs points   *to score several runs*

frapper juste   *to get a hit*

les joueurs   *players*

lancer la balle   *to pitch*

le lanceur de la balle   *pitcher*

les limites du jeu   *boundaries*

les locaux, les adversaires *the home team, visitors*

un out   *out*

rater son coup   *to make an out*

neuf reprises   *nine innings*

Le Football américain

l'arbitre (*m.*)   *referee*

un arrêt de volée   *interception*

l'attaque (*f.*)   *offense*

bloquer l'adversaire (en dehors des règles)   *to block (illegally)*

botter le ballon   *to kick the ball*

le chef de l'attaque   *quarterback*

un coup d'envoi   *kickoff*

la défense   *defense*

hors-jeu   *off-sides*

les juges de touche (*m.*)   *linesmen*

laisser échapper le ballon   *to fumble*

marquer un but de trois points   *to kick a field goal*

marquer un essai   *to score a touchdown*

(quatre) mises (*f.*) en jeu   *(four) downs*

la passe en avant, latérale, manquée   *forward, lateral, incomplete pass*

la pénalité   *penalty*

plaquer l'adversaire   *to tackle the opponent*

sur la touche   *out of bounds*

deux tranches (*f.*)   *ten yards*

la transformation   *extra point*

Le Basket(-ball)

une bagarre sous les panneaux   *a fight under the boards*

le ballon   *ball*

dribbler   *to dribble*

faire une faute personnelle   *to foul*

une interception   *interception*

les joueurs: deux avants, deux arrières, un centre   *two forwards, two guards, one center* un lancer-franc   *free-throw*

marcher   *to travel*

un panier (deux points)   *basket (two points)*

un point d'avance   *one point ahead*

un point de retard   *one point behind*

un rebondissement   *rebound*

récupérer   *to recover*

remettre le ballon en jeu   *to put the ball back in play*

un temps-mort   *time-out*

un tir au panier   *a shot*

tirer (à distance)   *to shoot (from a distance)*

Le Hockey sur glace

le but   *goal*

un coup de pénalité   *penalty shot*

la crosse de hockey   *hockey stick*

un dégagement interdit   *icing*

l'engagement (*m.*) du jeu   *face-off*

hors-jeu   *off-side*

les joueurs: deux arrières, trois avants, le gardien de but   *two defensemen, three forwards, the goalie*

la ligne (rouge, bleue)   *(red, blue) line*

marquer un but   *to score a goal*

le palet   *puck*

une parade   *a (body) check*

la passe (en avant, latérale, en arrière)   *(forward, lateral, backward) pass*

patiner (en arrière, en avant)   *to skate (backward, forward)*

la patinoire   *rink*

une pénalité   *penalty*

shooter, le shoot   *to shoot, shot*

la zone neutre, la zone d'attaque, la zone de défense   *neutral ice, offensive zone, defensive zone*

«*Le monde est avec celui qui est debout.*»

—*Proverbe arabe*

A votre santé

Comme la plupart des Américains, vous voulez vraiment être en forme. Pour cela, il faut surveiller votre régime et faire un minimum d'exercice. Puisque vous êtes jeune, cela se fait sans trop de problèmes pour l'instant, mais avez-vous pensé à votre avenir? Sera-t-il facile de garder votre forme dans dix ans? dans vingt ans? dans quarante ans? Avec deux ou trois camarades de classe, répondez aux questions suivantes pour prévoir vos activités physiques dans les années futures.

1. Dans dix ans, serez-vous en forme? Quels sports ferez-vous? Des sports collectifs? individuels? à deux? Combien de temps y consacrerez-vous? Quand trouverez-vous le temps de faire ces activités? Seulement le weekend? tous les deux ou trois jours? pendant l'heure du déjeuner? Avec qui ferez-vous du sport? Combien dépenserez-vous pour ces activités?

2. Dans vingt ans, que ferez-vous pour préserver votre santé? Quel(s) sport(s) pratiquerez-vous? Apprendrez-vous des sports que vous ne connaissez pas encore? Expliquez. Quelle sorte d'exercices ferez-vous? Si vous habitez une grande ville, comment pourrez-vous vous exercer tous les jours? Quels risques courrez-vous si vous ne faites jamais d'exercice?

3. Dans quarante ans, que ferez-vous pour être en forme? Quelles limitations se présenteront en ce qui concerne vos activités physiques? Continuerez-vous à pratiquer vos sports habituels ou non? Justifiez votre réponse. Quels sont les avantages de l'exercice physique au troisième âge? Quelles activités physiques sont appropriées pour une personne de cet âge?

Une personne écrira toutes les réponses des membres de son groupe. Ensuite vous en discuterez entre vous afin de comparer votre train de vie dans l'avenir. Quelles possibilités ce jeu vous a-t-il révélées sur votre vie future?

Sujets de composition

Faites une composition écrite ou orale sur deux des sujets suivants.

Le Temps libre

D'après une enquête récente en France, ce qui manque le plus aux Français de votre âge, c'est du temps libre. Et vous, avez-vous le temps de faire tout ce que vous voulez? Etes-vous content de la façon dont vous passez votre temps? Expliquez vos réponses.

L'Emploi des loisirs

Quelle importance attachez-vous à la manière d'utiliser vos loisirs? Comment les étudiants que vous connaissez occupent-ils leurs loisirs? Est-ce qu'ils s'ennuient facilement? Pourquoi? Quel(s) type(s) de loisirs préférez-vous? Culturels? distrayants? collectifs? individuels? Est-ce que vos loisirs sont spontanés ou arrangés d'avance? Croyez-vous que certains loisirs soient une perte de temps? Commentez votre réponse.

Le Travail et les loisirs

Une fois entré dans le monde du travail, comment allez-vous organiser votre vie? Comment allez-vous réussir à partager votre temps entre travail et loisir?

La Côte d'Azur

Les Grandes Vacances d'été

Depuis les années soixante, les Français ont un minimum de quatre semaines de vacances chaque année. La majorité des gens, surtout les petits commerçants, ont l'habitude de partir au mois d'août. Comparez le système de vacances français avec le système américain. Quels sont les avantages de notre système? les désavantages? Quel système préférez-vous? Pourquoi?

Comment passe-t-on ses vacances?

En été, beaucoup de Français aiment passer leurs vacances dans un milieu naturel. Par exemple, ils louent une caravane et ils partent pour un camp de vacances, très souvent au bord de la mer. Comment les Américains préfèrent-ils passer leurs vacances d'été? A s'amuser? à travailler? à s'instruire? à rester chez eux? Est-ce que la plupart des gens que vous connaissez font quelque chose de différent chaque année pendant leurs vacances? Pourquoi? Comment passez-vous vos vacances?

Les vacances sont-elles nécessaires?

Pensez-vous que tout le monde ait besoin de vacances? Expliquez votre réponse.

«*Le temps est comme l'argent; n'en perdez pas et vous en aurez assez.*»

—*Proverbe français*

Devinez un peu

1. Pour faire de l'alpinisme, j'irai
   a. en Picardie.
   b. en Hollande.
   c. à Chamonix.
   d. à Tours.

2. La pétanque
   a. est un jeu de boules.
   b. est un bruit.
   c. est nécessaire pour faire de la plongée.
   d. est un petit animal domestique.

3. Le Tour de France
   a. est un voyage organisé pour ceux qui visitent la France pour la première fois.
   b. est la course de cyclisme la plus célèbre du monde.
   c. est un monument romain à Nîmes.
   d. est un autre nom pour la tour Eiffel.

4. Si vous faites du ski de fond, il vous faut
   a. un billet de remonte-pente.
   b. des skis très courts.
   c. de grosses chaussures en plastique.
   d. du fart.

5. Le tennis est un jeu d'origine
   a. anglaise.
   b. américaine.
   c. française.
   d. australienne.

6. Un hippodrome
   a. est une commune de hippies.
   b. est un cheval sauvage d'Afrique.
   c. est une sorte de dromadaire.
   d. est un endroit où se déroulent les courses de chevaux.

7. «En garde!» «Touchez!» «épée» ont rapport à
   a. la chasse.
   b. l'escrime.
   c. la boxe.
   d. le judo.

8. Le naturisme se caractérise par
   a. la pratique du nu intégral en collectivité.
   b. l'amour pour la nature.
   c. la peinture du dix-neuvième siècle.
   d. la cuisine macrobiologique.

9. On entreprend un voyage d'affaires
   a. pour rencontrer un(e) ami(e).
   b. pour établir des relations commerciales.
   c. pour poursuivre un criminel.
   d. pour faire des économies.

10. L'autostop est
    a. le frein de l'auto.
    b. une station-service sur l'autoroute.
    c. le contrôle obligatoire des poids lourds.
    d. un moyen de se déplacer sans frais de transport.

Les courses de chevaux à Deauville

De Vrais Amis

Dans le chapitre précédent, vous avez appris que certains préfixes sont identiques en français et en anglais (*in-, im-, dis-, a-, contre-, anti-, ir-* et *non-*). Il y a aussi de nombreux suffixes qui sont semblables en français et en anglais. En voici quelques-uns.

Le suffixe *-ique*

Le suffixe *-ique* en français correspond à «-ic» ou à «-ical» en anglais.

biologique   *biological*
symbolique   *symbolic*

A. Trouvez l'équivalent en français des adjectifs anglais suivants.

1. fantastic
2. historical
3. romantic
4. classic, classical
5. logical

6. dynamic
7. typical
8. tragic
9. tyrannical
10. psychological

B. Complétez les phrases suivantes qui utilisent des adjectifs en *-ique*.

1. Quelqu'un de lunatique _____.
2. _____ les avions supersoniques.
3. _____ du ski nautique.
4. L'éducation physique _____.
5. L'océan Pacifique _____ l'océan Atlantique.
6. Notre système politique _____.
7. _____ une illusion d'optique
8. La communauté scientifique _____.

Le suffixe *-aire*

La plupart du temps, le suffixe *-aire* correspond à «-ar» ou à «-ary» en anglais.

similaire   *similar*
culinaire   *culinary*

A. Complétez les phrases avec les mots qui conviennent, pris de la liste à droite.

1. L'expédition _____ de l'Admiral Byrd restera toujours célèbre.

2. Le base-ball est un sport très _____ au Japon.

3. Est-il important d'encourager les enfants de l'école _____ à faire du sport?

4. Il y aura des patineurs _____ aux Jeux Olympiques.

5. Cette saison de ski sera _____ avec toute la neige qu'on a eue.

6. Le rouge et le vert sont des couleurs _____.

7. Il ramasse tous les prix; c'est un athlète _____.

a. polaire
b. ordinaire
c. exemplaire
d. extraordinaire
e. primaire
f. populaire
g. élémentaire
h. musculaire
i. complémentaire
j. spectaculaire

B. Complétez chaque définition avec un substantif en -*aire*.

1. _____ est un recueil des mots rangés dans un ordre alphabétique avec leur sens.

2. _____ est un plan de tous les lieux par où l'on passe quand on fait un voyage.

3. _____ est un animal voisin du chameau, mais à une seule bosse.

4. _____ est un asile sacré.

5. _____ est le retour annuel d'un jour marqué par quelque événement, en particulier du jour de la naissance.

Le suffixe -*ment*

Beaucoup d'adverbes français ont la terminaison -*ment.* Ce suffixe est l'équivalent de «-ly» en anglais.

certainement *certainly*
directement *directly*

A. Trouvez les adverbes en -*ment* qui sont le contraire des mots suivants.

1. d'abord
2. facilement
3. objectivement
4. profondément
5. intelligemment

B. Dans dix ans, que ferez-vous...

1. rapidement?
2. calmement?
3. sérieusement?
4. joyeusement?
5. spontanément?
6. frivolement?
7. rarement?
8. systématiquement?

Spectacles

"Ne cherchez pas à me retenir; mon devoir m'appelle."

10

Tous les jeux et activités de ce chapitre concernent le cinéma et le théâtre en France et aux Etats-Unis. Dans la première activité, vous traduisez plusieurs titres de films que l'on peut voir dans les cinémas de Paris. La deuxième activité vous permet de parler des aspects du cinéma qui vous intéressent personnellement tels que les grandes vedettes, la photographie, les décors, les costumes. La troisième activité vous propose trois situations qui soulèvent chacune un problème différent. C'est vous qui allez trouver une solution à l'un de ces problèmes.

Les six sujets de composition vous posent des questions sur vos propres expériences au cinéma et au théâtre. *Devinez un peu* vous fera réfléchir aux noms et aux termes qui sont importants dans le monde du cinéma et du théâtre. *De Vrais Amis* vous présente des similitudes entre le français et l'anglais ainsi que l'occasion de jeter un dernier coup d'oeil sur le cinéma et le théâtre français.

Le Vocabulaire essentiel...

s'agir de   to be about

l'amateur *m.*   amateur; connaisseur

inouï(e)   unheard of

le métier   trade, craft

monter une pièce   to stage a play

passer un film   to show a film

le physique   physique, outward appearance

la répétition   rehearsal

la sensibilité   sensitivity

tourner un film   to shoot a film

la vedette   star, celebrity

...et comment l'utiliser.

A.   Trouvez l'équivalent de chaque expression.

1.   une étoile, une star

2.   un dilettante

3.   être question de

4.   sans précédent

5.   profession manuelle ou mécanique

B. Complétez les phrases avec les mots qui conviennent.

1. Dans mon lycée, il y avait un groupe qui s'intéressait au théâtre. On _____ de Molière.

2. C'est seulement après plusieurs _____ d'un rôle qu'un acteur commence à connaître le personnage qu'il joue.

3. Il a fallu quatre ans pour _____ le film *Apocalypse Now*.

4. Quel aspect d'un acteur (d'une actrice) est le plus important: son _____ (apparence extérieure) ou sa _____ (compassion, c'est-à-dire le côté intérieur)?

5. On va _____ le film *La Grande Illusion* à vingt heures à la Cinémathèque.

6. Pour le grand public, le cinéma est une distraction. Mais pour les _____, c'est aussi un art.

Activités

Jeu de traduction

Voilà la liste des films qu'on va passer dans les cinémas des Champs-Elysées cette semaine. C'est vous qui devez les traduire en anglais ou en français selon le cas. Trouvez deux ou trois camarades de classe qui pourront vous aider à accomplir cette tâche. Après avoir traduit tous les titres, comparez-les avec les traductions des autres groupes pour trouver les meilleurs.

Du français en anglais:

L'Homme qui aimait les femmes
Deux ou trois choses que je sais d'elle
La Vengeance est un plat qui se mange froid
L'Homme qui en savait trop
Un Homme qui me plaît
L'Une chante, l'autre pas
Celui qui doit mourir
Paris qui dort

De l'anglais en français:

The Spy Who Came in from the Cold
Everything You Always Wanted to Know about Sex—But Were Afraid to Ask
The Day the Earth Stood Still
The Man Who Shot Liberty Valance
The Mouse That Roared (rugir *to roar*)
For Those Who Think Young
The Ghost That Never Returns
The Man I Killed
The Man Who Came to Dinner

Montrer et dire (une activité de deux jours)

le film policier

le film d'horreur

le documentaire

le film d'aventures

la comédie musicale

le western

le film d'amour

le dessin animé

le film historique

Chaque étudiant fera une causerie d'une minute sur l'un des sujets suivants:

1. Le meilleur film de tous les temps à mon avis...

2. L'acteur (ou l'actrice) que les Américains préfèrent...

3. Les films qu'on revoit toujours avec plaisir...

4. Je préfère les films américains (ou étrangers) parce que...

5. Les raisons pour lesquelles on va au cinéma...

6. Le type de film qui est le succès du moment...

7. Ce que je pense des films à la télé...

La Préparation

Organisez vos idées sur le sujet. Trouvez des images ou des documents qui aideront votre public à comprendre ce dont vous parlez. Par exemple, utilisez de la publicité pour un film, une critique d'un film, un livre sur le cinéma, un magazine cinématographique, un programme de films.

La Présentation

Le jour de la présentation, il est important que vous ne lisiez pas vos notes. Il vaut mieux que vous écriviez les mots importants sur une carte et que vous vous serviez de documents pour vous rappeler vos idées. Il est tout de même possible de faire de la pantomime si vous voulez. Dans ce cas-là, il faut que les autres interprètent l'histoire proposée.

«*Le cinéma est la musique de la lumière.*»

—*Abel Gance, cinéaste français*

François Truffaut

Le Vocabulaire

Les Gens

l'acteur (l'actrice)
le cinématographe
le metteur en scène (celui qui dirige le film)
le producteur (celui qui s'occupe des frais de production)
le (la) scénariste

Les Intrigues

Dans le film il s'agit...
    d'un amour impossible
    d'un assassinat
    d'une jeune fille qui...
    d'un personnage historique
    d'un scientifique fou qui...
    d'un vol

Les Eléments techniques

le costume
le jeu des acteurs
la mise en scène (*directing*)
la musique
la photographie
le scénario
le son
la version originale ou sous-titrée

La Critique

Un film...
    amusant
    classique
    décevant (*disappointing*)
    éducatif
    médiocre
    violent

Trois Pièces originales

Aimez-vous faire du théâtre? En avez-vous jamais fait? Vous avez maintenant l'opportunité d'écrire un petit dialogue et de jouer un rôle dans votre propre pièce. Voici trois situations qui chacune nécessitent un dénouement. Avec des camarades de classe, complétez une des situations suivantes en trouvant une solution au problème exposé.

Après l'avoir finie, tout le monde présentera sa scènette aux autres groupes de la classe. Quelles solutions avez-vous préférées? La vôtre? celles des autres?

Situation I

Au Club Méditerranée à Copper Mountain dans une station de ski, une jeune fille travaille à la réception; entrent successivement une championne de ski, un jeune couple genre haute société, très riche, de New York, et un parvenu du Texas, vêtements criards, un gros paquet de billets de banque à la main. Tous veulent louer la dernière chambre.

LA JEUNE FILLE: Il ne reste plus qu'une chambre ce soir et pour une personne. Si d'autres gens arrivent, je ne saurai pas où les mettre. *Entre la championne de ski.*

LA CHAMPIONNE: J'ai besoin d'une chambre qui donne sur les pistes. Je veux regarder les autres concurrents d'en haut. *Entre le couple new-yorkais.*

M. BELL: Nous sommes Monsieur et Madame Bell. C'est nous qui avons réservé la suite présidentielle pour ce soir. Donnez-nous la clef, je vous prie.

LA JEUNE FILLE: Un instant, s'il vous plaît. Qui êtes-vous? C'est à quel nom, s'il vous plaît? *Entre bruyamment le parvenu, en se dirigeant vers la jeune fille.*

LE PARVENU: Bonsoir, ma petite. Comment ça va? Tu me donnes la meilleure chambre de l'hôtel, et après, toi et moi, nous allons au restaurant de tes rêves. Nous irons...

Situation II

Une femme professeur *et* **un de ses étudiants** *sont assis à une table de restaurant, la main dans la main.*

ETUDIANT: Ça ne te gêne pas d'être vue en public avec moi?

PROFESSEUR: Mais non, je trouve tout à fait normal de déjeuner avec un de mes étudiants.

ETUDIANT: D'ailleurs, je vais laisser tomber ton cours.

PROFESSEUR: (*en souriant*) Et si le chef de mon département entrait... *Entre le chef du département.*

Situation III

Il vient d'arriver un petit accident; **un chauffeur de taxi,** *le chauffeur d'une autre voiture et sa passagère se disputent.*

LE CHAUFFEUR DE TAXI: Mais, vous êtes fou? Qu'est-ce qui vous prend? Moi, j'avais la priorité.

LE CHAUFFEUR DE VOITURE: Ce n'est pas vrai. Moi, je roulais très lentement dans mon couloir (*lane*) quand vous êtes rentré dans notre voiture sans avertissement. Vous ne faisiez pas attention.

LE CHAUFFEUR DE TAXI: Excusez-moi, mais...

Sujets de composition

Faites une composition orale ou écrite sur deux des sujets suivants.

Vous et le cinéma

La France et les Etats-Unis sont deux pays qui ont beaucoup contribué à l'évolution du cinéma. Combien de fois par mois allez-vous au cinéma? Quels sont les films que vous avez vus plusieurs fois? Pourquoi? Quels sont les films que vous refusez de voir ou de revoir? Pourquoi? Qu'est-ce qui vous intéresse le plus au cinéma? Les vedettes? l'intrigue? les images? le décor? Expliquez votre réponse. Qu'est-ce qui fait une grande vedette? Son physique? sa sensibilité? son talent?

Les Films étrangers

Avez-vous jamais vu un film étranger? Si vous voyez un film étranger, préférez-vous que le film soit sous-titré ou doublé? Commentez votre réponse.

Le Cinéma et la télévision

En quoi consiste la différence entre les films faits pour la télévision et les autres? Est-ce que la télévision va tuer le cinéma? Expliquez votre réponse.

Le Théâtre aux Etats-Unis

Quelles pièces ont eu du succès aux Etats-Unis récemment? En général, qui va au théâtre aux Etats-Unis? Quels sont les centres du théâtre américain? Justifiez vos réponses aux deux dernières questions.

Vous et le théâtre

Quel genre de pièce préférez-vous? Une tragédie shakespearienne? une comédie de Woody Allen? une comédie musicale comme «Hair»? Quelles sortes de pièces avez-vous la possibilité de voir dans votre communauté? Par qui sont-elles montées? Par des groupes professionnels, d'amateurs, d'étudiants? Où est-ce que ces pièces sont présentées? Dans un théâtre traditionnel? dans un parc? en plein air? Quelles pièces avez-vous lues ou vues dont vous gardez un souvenir précis? Pourquoi?

Le Métier d'acteur (d'actrice)

Est-ce qu'on naît acteur (actrice) ou est-ce qu'on le devient? Justifiez votre réponse. Comment apprend-on ce métier? Comment imaginez-vous la vie d'un acteur (d'une actrice)? Si un ami vous offrait un rôle dans une pièce qu'il monte, l'accepteriez-vous? Expliquez votre réponse.

> «Il n'est pas indispensable d'être fou pour faire du cinéma. Mais ça aide beaucoup.»
>
> —Samuel Goldwyn

Marcel Marceau

les principaux programmes

Nous vous communiquons ces programmes sous toutes réserves, la télévision française se réservant la possibilité de modification de dernière heure.

Mercredi 14 mai

12.05	2	PASSEZ DONC ME VOIR.
12.15	1	REPONSE A TOUT.
12.30	1	MIDI PREMIERE.
12.30	2	SERIE : « La vie des autres ».
13.35	1	LES VISITEURS DU MERCREDI.
13.50	2	FACE A VOUS.
14.00	2	AUJOURD'HUI MADAME.
15.15	2	SERIE : « Au cœur du temps »

21.45	1	LA RAGE DE LIRE.
21.50	2	OBJECTIF DEMAIN : « Les derniers jours du monde ».
22.50	2	HISTOIRES COURTES : « Cortège », de Yan Nebut et « La soirée du Baron Swenbeck », d'Hubert Niogret.

Jeudi 15 mai

11.30	2	ANTIOPE.
12.05	2	PASSEZ DONC ME VOIR.
12.00	1	OBJECTIF SANTE.
12.15	1	REPONSE A TOUT.
12.30	1	MIDI PREMIERE.
12.30	2	FEUILLETON : « La vie des autres ».
13.50	1	FILM : « RIO GRANDE », 1950. 1h45 min. de John Ford, avec John Wayne, Maureen O'Hara, Bel Johnson, Victor Mac Laglen.
15.00	2	FILM : « LE CAPITAN », 1960. 1h50 fr.-ital. d'André Hunebelle, avec Jean Marais, Bourvil, Elsa Martinelli, Arnoldo Foa.
15.30	1	CYCLISME.
16.20	1	SOUS UN OCEAN D'ARBRES.
16.40	2	L'INVITE DU JEUDI.
17.25	1	UN. RUE SESAME.

Devinez un peu

1. La Cinémathèque
   a.   est un institut de hautes études cinématographiques.
   b.   est le syndicat des cinématographes.
   c.   est un musée et une bibliothèque du cinéma.
   d.   est l'organisation qui s'occupe de la publicité des films.

2. Ce metteur en scène français a joué un rôle dans le film américain *Rencontre du troisième type.*
   a.   Truffaut
   b.   Chabrol
   c.   Godard
   d.   Agnès Varda

3. *Le Malade Imaginaire, Tartuffe,* et *L'Avare* ont été écrits par ce dramaturge célèbre au dix-septième siècle
   a.   Albert Camus
   b.   Jean-Paul Sartre
   c.   Molière
   d.   Racine

«*Dieu a créé les beaux-arts, l'homme a créé le cinéma.*»

—*Roger Manvell*

Une scène du film La Grande Illusion *de Jean Renoir*

4. La «nouvelle vague»
   a. se réfère aux films des années cinquante comme *Les 400 coups, A Bout de Souffle.*
   b. est le nom de la salle de projection au festival de Cannes.
   c. fait référence aux premiers films couleurs français.
   d. est la mode des mini-jupes.

5. La Comédie-Française
   a. est une pièce qui a eu un succès inouï récemment à Paris.
   b. est un théâtre subventionné par le gouvernement français où l'on monte des pièces classiques.
   c. est une comédie typiquement française.
   d. est un théâtre d'avant-garde.

6. *La Grande Illusion* et *La Règle du jeu* sont deux films classiques de ce metteur en scène français qui a passé ses dernières années aux Etats-Unis.
   a. Marcel Carné
   b. Abel Gance
   c. René Clair
   d. Jean Renoir

7. Dans un cinéma français, il est normal de donner à l'ouvreuse
   a. votre programme après l'avoir lu au cas où elle n'en aurait pas suffisament pour les autres.
   b. votre parapluie.
   c. un pourboire.
   d. un compliment quelconque.

8. Laquelle de ces quatre actrices n'est pas française?
   a. Brigitte Bardot
   b. Catherine Deneuve
   c. Simone Signoret
   d. Sophia Loren

9. Luis Buñuel, que tournait des films en France après son exil d'Espagne, a fait un film surréaliste très célèbre en 1929 qui s'appelle
   a. *Passage à Marseille.*
   b. *Viva Espagne.*
   c. *Un Chien Andalou.*
   d. *Sur le réel.*

10. Le mot *séance* désigne
    a. les heures du spectacle.
    b. un rendez-vous avec un clairvoyant.
    c. une répétition d'acteurs.
    d. la première scène d'une pièce.

De Vrais Amis

Le Suffixe -eur

Le suffixe -eur en français est souvent l'équivalent du suffixe «-or» en anglais.

un aviateur   *aviator*

un éditeur   *editor*

un moteur   *motor*

un réfrigérateur   *refrigerator*

A.   Trouvez l'expression tirée de la liste à droite qui complète chacune des phrases suivantes.

1. _____ est quelqu'un qui visite un endroit.

2. _____ est un film qui fait peur.

3. _____ est la machine avec laquelle on montre un film.

4. _____ est le contraire d'inférieur.

5. _____ est un synonyme du dehors.

a.   supérieur

b.   profondeur

c.   un réacteur

d.   à l'extérieur

e.   un film d'amateur

f.   contradicteur

g.   un film d'horreur

h.   à la rigueur

i.   un visiteur

j.   un projecteur

B.   Pouvez-vous nommer une personnalité américaine ou étrangère pour chacune des professions ci-dessous?

1. Un *inventeur* que j'admire...

2. Un *acteur* dont j'aime tous les films...

3. Un *compositeur* de musique classique qui m'a impressionné...

4. Un *docteur* dont tout le monde parle...

5. Un *professeur* que je respecte...

6. Un *auteur* dont j'ai lu beaucoup d'oeuvres...

7. Un *dictateur* que je ne supporte pas...

8. Un *sénateur* qui est devenu célèbre par ses réformes...

9. Un *empereur* qui a influencé le cours de l'histoire...

10. Un *ambassadeur* qui a un poste exigeant...

C. Etes-vous amateur de cinéma? Faites la correspondance entre les noms à gauche et les explications à droite.

1. Fred Astaire
2. Vanessa Redgrave
3. Gregory Peck
4. Rod Steiger
5. Jeanne Moreau
6. Jane Fonda
7. Jean-Paul Belmondo
8. Marlon Brando
9. Laurence Olivier
10. Marie-José Nat

a. Acteur français très célèbre.

b. Un danseur américain qui a joué dans beaucoup de films.

c. L'ambassadeur américain pour l'Angleterre dans *The Omen*.

d. L'empereur Napoléon dans le film *Waterloo*; Christopher Plummer était Wellington, son adversaire.

e. Elle jouait le rôle de l'auteur Lillian Hellman dans le film *Julia*.

L'Accent circonflexe dans les substantifs

Il y a des substantifs français dont la lettre *s* devant une consonne a été remplacée par un accent circonflexe sur la voyelle précédente. Le *s* est resté dans le mot anglais.

l'hôte (m.) *host*

la hâte *haste*

la fête *feast*

le mât *mast*

A. Définissez les mots ci-dessous ou employez-les dans une phrase.

MODELE: l'intérêt (*m.*)
Elle a beaucoup d'intérêt pour le cinéma.

la tempête
la tempête: un orage violent sur terre ou sur mer, une comédie de Shakespeare

1. l'ancêtre (*m.*)
2. le bâtard
3. la bête
4. la côte
5. la forêt
6. l'hôpital (*m.*)
7. l'hôtel (*m.*)
8. l'hôtesse (*f.*)
9. l'île (*f.*)
10. le prêtre

B. Trouvez l'équivalent français des substantifs suivants.

1. cloister
2. crest
3. master
4. plaster
5. roast (meat)

Les Beaux-Arts

"Salut Claude! Je suis prête pour la pose."

11

Ce chapitre vous présente des activités qui concernent les beaux-arts. Dans la première activité, vous aurez la possibilité de parler de vos préférences musicales. Ensuite, vous pourrez devenir professeur de danse pour un jour. Dans la troisième activité, vous aurez l'occasion d'identifier plusieurs exemples de l'architecture en France.

Les cinq sujets de composition vous posent des questions sur les musées d'art et sur le rôle de la musique dans la vie quotidienne. Vous pouvez donner votre opinion personnelle sur ces sujets dans un exposé ou dans une rédaction.

L'activité qui suit les sujets de composition, *Devinez un peu,* vous encouragera à employer les noms et les termes importants dans les beaux-arts.

Le chapitre s'achève avec *De Vrais Amis,* qui vous offre une petite étude des mots apparentés en français et en anglais comme moyen d'enrichir votre vocabulaire français.

Le Vocabulaire essentiel...

s'attendre à   to expect

bouger   to move around

le chef-d'oeuvre   masterpiece

favori(te)   favorite

moyen(ne)   average

l'oeuvre *f.*   work

recueillir   to collect

...et comment l'utiliser

A.   Trouvez l'équivalent de chaque expression.

1.   préféré(e)

2.   le travail, la tâche

3.   l'ouvrage parfait

4.   faire un mouvement

5.   compter sur

6.   collectionner

7.   qui est au milieu

B. Complétez les phrases avec les mots qui conviennent:

1. Debussy est mon compositeur _____. Une de ses _____ capitales s'appelle «L'après-midi d'un faune».

2. Les musées sont chargés de _____ des objets d'art. Le _____ de Léonard de Vinci, la Joconde, se trouve au musée du Louvre.

3. Puisque vous _____, la photo est ratée.

4. Il ne faut s'étonner de rien, il faut _____ à tout.

5. Le lecteur _____ aux Etats-Unis lit un roman par an.

Activités

Vous et la musique

La Préparation

Qu'est-ce qui vous ferait le plus plaisir dans les situations suivantes? Quand vous faites telle ou telle chose (*such and such*), quelle sorte de musique aimez-vous écouter? Discutez de chacun des commentaires ci-dessous avec deux ou trois camarades de classe. Après avoir donné votre point de vue dans toutes les phrases, parlez-en avec tout le monde en expliquant pourquoi vous avez choisi tel ou tel morceau de musique. Essayez de varier vos réponses autant que possible; au lieu de dire toujours «un peu de musique classique», mettez de temps en temps le nom d'un compositeur favori ou d'une oeuvre spécifique.

La Musique de chambre

L'Opéra

Le Vocabulaire

Les Instruments

l'accordéon *m.*	l'harmonica *m.*	le piano
le clavecin	la harpe	le trombone
la flûte	le hautbois *m.*	la trompette
la guitare	l'orgue *m.*	le violon

La Musique

classique	exotique	populaire
de cirque	instrumentale	romantique
de film	légère	sacrée
de marche	moderne	vocale
d'orchestre		

Divers

l'arrangement *m.*	l'improvisation *f.*	l'opéra *m.*
la ballade	l'instrumentation *f.*	la rapsodie
la chanson	le madrigal	la sérénade
la composition	la mélodie	la symphonie
l'harmonisation *f.*	l'orchestration *f.*	

La Musique folklorique

Le Jazz

Les Commentaires

1. J'adore écouter _____ en bavardant avec un ami.

2. J'ai l'habitude d'écouter _____ en faisant mes devoirs de _____.

3. Il est préférable d'écouter la musique de _____ en se réveillant le matin.

4. En conduisant, il est agréable d'écouter _____.

5. Après être rentrée d'une rude journée, j'ai besoin d'entendre _____.

6. En prenant un bain ou une douche, j'aime écouter _____.

7. Après avoir passé une soirée exceptionnelle, il est bon d'écouter _____.

8. Je ne peux pas m'empêcher de danser en écoutant chanter _____.

9. En me reposant, j'ai envie d'écouter _____.

10. Je préfère écouter _____ en m'endormant.

11. Il est chouette d'écouter _____ en faisant le ménage.

12. En prenant un bain de soleil, il est agréable d'écouter _____.

«La musique est le seul plaisir sensuel sans vice.»

—*Proverbe anglais*

Un Cours de danse

Avec deux ou trois camarades de classe, décidez laquelle des danses suivantes vous voulez apprendre aux autres camarades de classe.

1. une danse classique

2. une danse moderne

3. le (*French*) cancan

4. la valse

5. le slow

6. le rock

7. une danse folklorique américaine

8. une danse folklorique étrangère

Chaque groupe de «professeurs de danse» va choisir une danse différente dans la liste ci-dessus. Voici du vocabulaire qui pourrait vous être utile pour faire cette activité. Vous n'avez qu'à enseigner les pas. N'oubliez pas de trouver un morceau de musique pour vous accompagner.

La Danse classique

La Valse

La Danse folklorique américaine

Le Rock

Le Cancan

Le Disco

Le Vocabulaire

Mettez la main droite sur une chaise, sur l'épaule de votre partenaire, etc.	*Put your right hand on a chair, on your partner's shoulder, etc.*
Tendez la main à quelqu'un; prenez la main de quelqu'un.	*Offer your hand to someone; take someone's hand.*
Changez de côté.	*Change sides.*
Avancez, reculez, glissez, tournez.	*Go forward, go backward, slide, turn.*
Faites un mouvement comme ceci.	*Make a movement like this.*
Faites un pas à droite, à gauche, en avant, en arrière.	*Take one step to the right, to the left, forward, backward.*
Faites un petit saut; faites un grand saut.	*Make a little jump; jump high.*
Donnez un coup de pied comme ça.	*Kick like this.*
Repliez les genoux comme ceci.	*Bend your knees like this.*
Levez les jambes comme ça.	*Lift your legs like this.*

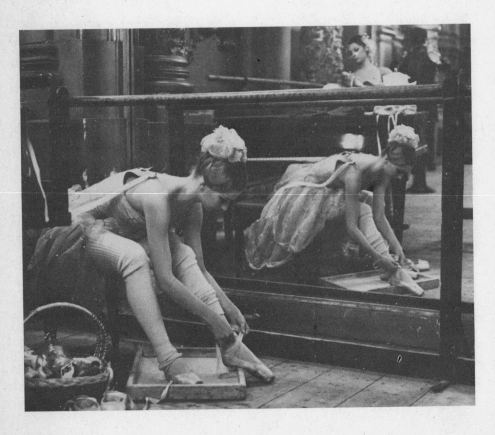

Tenez-vous le dos droit.	*Keep your back straight.*
Remuez-vous un peu, bougez.	*Move around.*
Envoyez la jambe gauche en avant, le genou plié.	*Kick your left leg forward with the knee bent.*
En prenant votre partenaire par la taille...	*Taking hold of your partner by the the waist. . .*
Avec les bras tendus...	*With your arms straight out in front of you. . .*
La jambe droite tendue, la jambe gauche fléchie...	*The right leg stiff, the left leg bent. . .*
Avec les talons joints...	*With your heels touching. . .*
souple; tendu(e)	*supple; stiff*

Connaissez-vous des mots français qu'on emploie toujours en anglais dans le ballet classique? (et même dans la danse typiquement américaine, le «Square Dance»?)

L'Architecture en France

Voici des chefs-d'oeuvre de l'architecture en France. Avec un(e) camarade de classe, essayez de faire les correspondances entre les huit illustrations et la liste des sites historiques et artistiques.

1. Beaubourg, Centre culturel Pompidou
2. le pont Alexandre III
3. la Tour Eiffel
4. le Louvre, immense musée d'art
5. Sacré-Coeur
6. Place des Vosges, centre du monde littéraire au dix-septième siècle
7. le château de Maintenon
8. l'Arc de Triomphe
9. Carcassonne
10. le tombeau de Napoléon aux Invalides
11. l'Obélisque
12. la Sainte-Chapelle
13. Notre-Dame de Paris
14. Place de la Concorde
15. Versailles

A

B

C

D

E

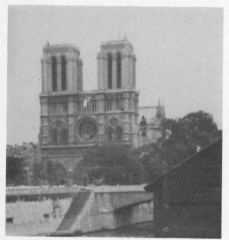

F

G

H

Si vous pouvez ajouter des détails à leur sujet, partagez vos connaissances avec vos camarades.

Ensuite, vous décrirez ce que l'on peut faire ou ne pas faire en visitant chacun de ces monuments. Donnez libre cours à votre imagination en complétant les phrases suivantes par des expressions infinitives de votre choix. Il est possible de trouver deux ou trois façons de compléter chaque phrase, comme nous l'avons fait pour la première phrase.

1. Quand vous êtes à Paris, il est possible d'écrire une jolie carte postale sur le fameux pont Alexandre III.   de prendre une photo de la Seine
   de jouer du violon
   de regarder passer les gens _____

2. Sur la Tour Eiffel, il est dangereux de _____.

3. Pour vraiment apprécier les magnifiques châteaux de la Loire, il faut _____.

4. A Paris, il est agréable de _____ la Place des Vosges, qui garde encore le charme et l'élégance du dix-septième siècle.

5. On ne peut pas faire un voyage en France sans _____ le palais de Versailles.

6. On se rend à l'Arc de Triomphe pour _____.

7. Avez-vous envie de _____ la cathédrale Notre-Dame?

8. N'oubliez pas _____ le Louvre, le plus grand musée d'art qui existe.

9. Avant de quitter Paris, beaucoup de touristes veulent _____ l'immense tombeau de Napoléon à l'Hôtel des Invalides.

10. Le nouveau musée d'art moderne controversé, Beaubourg, fait _____ les gens.

«*Le secret des arts est de corriger la nature.*»

—*Proverbe français*

Sujets de composition

Faites une composition orale ou écrite sur deux des sujets suivants.

Les Musées de beaux-arts

Depuis François Ier, les rois français humanistes ont rassemblé des collections d'objets d'art pour la postérité. En 1793, le musée du Louvre de Paris devenait le premier musée européen. Quelques années plus tard, toute la collection du musée est devenue la propriété de l'Etat. Quels musées d'art connaissez-vous aux Etats-

Unis? Lesquels avez-vous visités? Combien de temps passez-vous dans les musées chaque année? Quelle est l'attitude de l'Américain moyen envers les musées d'art? Pourriez-vous vivre sans musées? Expliquez vos réponses.

Les Fonctions des musées

Quelles sont les fonctions des musées? De recueillir des objets d'art? de les préserver? de former le goût artistique du public? d'aider la production d'art? Quels problèmes de conservation et d'organisation se présentent dans les grands musées? Quelles catégories d'objets est-ce qu'un musée doit collectionner? Seulement ceux ayant une valeur artistique? A qui appartiennent les collections qui s'y trouvent?

La Musique et vous

Combien de temps passez-vous quotidiennement à écouter de la musique? Comment votre goût pour la musique s'est-il développé? Tout seul? par instruction? Quelle sorte de musique n'aimez-vous pas? Pour quelles raisons? Quel instrument de musique vous intéresse le plus? Quel type de musique est-ce que vos parents apprécient? L'aimez-vous? Décrivez le dernier concert auquel vous avez assisté et le prochain concert auquel vous assisterez. Comment est-ce que vos goûts musicaux changeront à l'avenir?

Claude Debussy

La Musique et la société

Pensez-vous qu'il soit nécessaire que tout le monde suive un cours de musique à l'école primaire? à l'école secondaire? à l'université? Expliquez vos réponses. Quel rôle joue la musique dans notre société? Etes-vous pour ou contre la subvention des arts par le gouvernement? Expliquez.

La Musique française

La musique américaine contemporaine a beaucoup de succès en France. Connaissez-vous des musiciens ou des chanteurs français? Sont-ils populaires actuellement? Quelle sorte de musique font-ils?

«*Tous les arts sont frères, chacun apporte une lumière aux autres.*»

—*Proverbe français*

Devinez un peu

1. Un gratte-ciel est
   a. un outil pour se gratter le dos.
   b. un instrument avec lequel on étudie les étoiles.
   c. un immeuble à plusieurs étages.
   d. la tour de droite d'une cathédrale gothique.

2. Lequel des peintres suivants n'est pas un artiste impressionniste?
   a. Monet
   b. Manet
   c. Renoir
   d. Braque

3. Où se trouvent la plupart des châteaux de la Renaissance? Dans
   a. l'Ile-de-France.
   b. le bassin d'Arcachon.
   c. la vallée de la Loire.
   d. le Massif central.

4. Rodin a sculpté plusieurs chefs-d'oeuvre dont «Le Baiser» et
   a. «Le Penseur».
   b. «Le Baigneur».
   c. «Le Danseur».
   d. «Le Seigneur».

5. Quelle oeuvre d'art la France a-t-elle donnée aux Etats-Unis?
   a. Le monument de Washington
   b. La Statue de la Liberté
   c. Le pont de Brooklyn
   d. La gare Grand Central à New York

6. Pour compléter Notre-Dame de Paris, on a mis _____ ans.
   a. 10
   b. 55
   c. 82
   d. 150

7. Lequel de ces compositeurs célèbres n'est pas français?
   a. Händel
   b. Berlioz
   c. Debussy
   d. Saint-Saëns

8. La Tour Eiffel a été construite
   a. pour célébrer le sacre de Napoléon en 1804.
   b. juste après la première guerre mondiale.
   c. pour l'Exposition de 1889.
   d. juste après la deuxième guerre mondiale.

9. Ce chef-d'oeuvre peint par de Vinci se trouve au Louvre.
   a. «Le Déjeuner sur l'herbe»
   b. «La Gare St. Lazare»
   c. «Guernica»
   d. «La Joconde»

10. Cette école de peinture s'attache aux jeux de la lumière plutôt qu'à la forme des objets. Elle s'appelle l'école
    a. du soleil.
    b. libre.
    c. expressionniste.
    d. impressionniste.

occupation

Les dessins d'un enfant

« Paris occupé, dessiné par un enfant » (Editions Tallandier), tel est le recueil de 38 dessins inédits de Claude Vielfaure, exécutés à l'époque où il était un lycéen en culottes de golf. Ici, c'est l'ex-cinéma « Le Marignan » aux Champs-Elysées, à côté d'un restaurant portant l'inscription « für deutsche Wehrmarcht » (réservé à l'armée allemande). □

De Vrais Amis

Il y a deux sortes de mots français ayant la terminaison -*ant* qui sont semblables aux mots anglais.

Les Adjectifs en -*ant*

Certains adjectifs en -*ant* sont dérivés des verbes correspondant aux adjectifs en «ing» en anglais.

absorbant   *absorbing*
alarmant   *alarming*
captivant   *captivating*
choquant   *shocking*
démoralisant   *demoralizing*

Finissez chaque phrase avec un verbe et l'adjectif dérivé de ce verbe. Suivez le modèle.

MODELE: Un sport qui **fatigue** est un sport **fatiguant.**

Une remarque qui **irrite** est une remarque **irritante.**

1. Un film qui _____ est un film _____.
2. Un tableau qui _____ est un tableau _____.
3. Une histoire qui _____ est une histoire _____.
4. Un article qui _____ est un article _____.
5. Une chanson qui _____ est une chanson _____.

Quelques adjectifs en -*ant* n'ont pas de forme correspondante en «-ing» dans la langue anglaise. Ces adjectifs ont une forme semblable en français et en anglais: brillant, constant, élégant, galant, important, etc.

Utilisez un des adjectifs en -*ant* présenté ci-dessus pour compléter chaque phrase.

1. J'aime beaucoup les garçons...
2. Lisez-vous des romans...
3. Les danses contemporaines sont...
4. Vous attendez-vous à des résultats...
5. Ce groupe d'artistes a fait une exposition...

Les Noms en -*ant*

Les noms en -*ant* sont presque identiques en français et en anglais: *mutant, penchant, plant,* etc.

A. Donnez une définition pour chaque mot en suivant le modèle.

MODELE: un habitant
quelqu'un qui habite une ville, un pays, etc.
un instant
un moment

1. un(e) étudiant(e)
2. un protestant
3. un assistant
4. un géant
5. un combattant
6. un calmant
7. un occupant
8. un délinquant
9. un pendant
10. un pédant

B. Essayez de trouver un proverbe équivalent en anglais pour chacun des proverbes suivants. Si ce n'est pas possible, traduisez le proverbe en question en anglais.

1. C'est en forgeant qu'on devient forgeron.
2. L'appétit vient en mangeant.
3. On voit les défauts de la servante à travers sept voiles; un seul cache les défauts de la maîtresse.
4. S'il n'y avait pas d'éléphants dans la brousse (*wilds*), le buffle (*buffalo*) serait énorme.
5. La vérité sort de la bouche des enfants.

«*La vie est courte, l'art est long.*»

—*Proverbe grec*

La France et les Etats-Unis

"Ne parle pas aux étrangers!"

12

Ce dernier chapitre vous présente quelques activités sur le thème des rapports entre la France et les Etats-Unis. Vous allez d'abord parler des villes américaines qui ont un nom d'origine française. Ensuite, vous aurez l'occasion de réfléchir sur des événements historiques qui concernent les deux pays. Dans la troisième activité, vous pourrez discuter du franglais et vous comparerez un texte en franglais avec un texte en français.

Les cinq sujets de composition vous posent des questions sur les similitudes aussi bien que sur les différences entre la France et les Etats-Unis. Vous pouvez donner votre opinion personnelle sur ces sujets dans une rédaction ou dans une discussion en classe.

En jouant au *Devinez un peu*, vous allez identifier quelques noms et termes importants à ces deux nations. La dernière partie du chapitre, *De Vrais Amis*, vous donnera l'opportunité d'enrichir votre vocabulaire français en parlant de la vie en France et aux Etats-Unis.

Le Vocabulaire essentiel...

accueillir to welcome

se diriger vers to go towards

faire savoir to inform

le mélange mixture

se passer to take place

réaliser to achieve

renforcer to strengthen

le sort destiny

se voir to be obvious

...et comment l'utiliser.

A. Trouvez l'équivalent de chaque expression.

1. rendre plus fort
2. achever
3. le destin
4. mettre au courant
5. être remarqué

B. Complétez les phrases avec les mots qui conviennent.

1. Le franglais est un _____ de français et d'anglais.
2. L'action du film _____ en un seul jour.
3. Le vice-président américain a été _____ à l'aéroport Charles de Gaulle par le président français lui-même.
4. Le bateau _____ lentement vers le port.

Activités

L'Influence française aux Etats-Unis

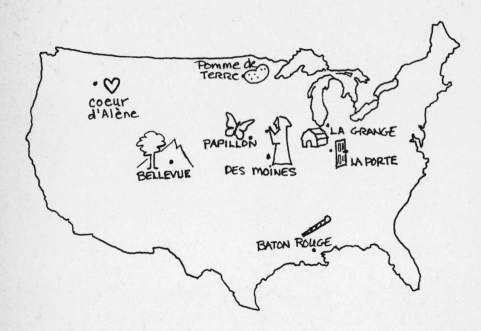

Depuis plus de deux siècles, les Français contribuent à la culture américaine dans les domaines intellectuel, culinaire, politique, etc. Voyez-vous des preuves de ces contributions autour de vous? Des statues en l'honneur des explorateurs français? des rues nommées d'après des personnalités françaises? Un vestige de l'influence française qui est évident aux Etats-Unis est le nombre de villes américaines dont les noms sont d'origine française. Vous allez en trouver quelques-unes. Pour cette activité, il est nécessaire que vous et un(e) de vos camarades de classe consultiez une carte des Etats-Unis. Essayez de faire une liste de dix villes américaines avec un nom français. Donnez des détails de l'histoire de ces villes que vous connaissez; par exemple, dites quel personnage historique a donné son nom à telle ou telle ville, qu'est-ce qui a rendu cette personne célèbre, comment la prononciation du nom d'une ville diffère en français et en anglais.

Après avoir fait votre liste, comparez-la aux autres listes de la classe. Combien de villes avez-vous trouvées pour cette activité?

Aller et retour

Les sorts de la France et des Etats-Unis ont souvent été liés au cours des siècles. Voici quelques scènes de moments historiques qui touchent aux deux nations. Avec un(e) camarade de classe, vous ferez revivre l'histoire en écrivant un commentaire sous chaque image. Vous pouvez être aussi comique ou aussi sérieux que vous voulez. L'important, c'est de faire savoir ce qui s'est passé au moment où l'action se déroulait.

1. le débarquement des alliés sur les plages de Normandie
2. le Marquis de Lafayette avec Georges Washington

3. Louis Joliet et René Robert Cavelier de La Salle
4. La Statue de la Liberté

5. Lindbergh à Paris

6. Gertrude Stein avec des artistes parisiens

Le Franglais

Qu'est-ce que le franglais? C'est l'usage courant de mots anglais, prononcés à la française, au lieu de mots strictement français. Par exemple, *le hot-dog* a pour équivalent *la saucisse de Francfort* en français; *le rocking chair* est *une chaise à bascule; un ticket* est *un billet; un footballeur* est *un joueur de football;* etc.

Le franglais s'utilise dans plusieurs domaines de la vie française: dans la presse, à la radio, dans la politique, dans l'armée, dans le gouvernement et surtout dans la publicité.

Il y a beaucoup de franglais dans le texte suivant. Avec un(e) camarade de classe, vous allez identifier les exemples de franglais et puis vous allez récrire le texte en remplaçant les mots franglais par des expressions françaises. Après avoir écrit votre rédaction, comparez-la aux autres rédactions de la classe pour voir si vous avez trouvé tous les mots franglais du texte.

Le gangster dans le trench-coat a suivi la starlette du parking jusqu'au dancing. Elle y est entrée et a rejoint ses amis. Tout le jet-set a commandé un cocktail qu'on a bu en écoutant la musique, un mélange de boogie-woogie et de jazz. Le gangster regardait la fille boire un scotch; lui, il buvait du whiskey. Après avoir dansé deux ou trois slows avec un play-boy en smoking, elle a commandé un autre scotch. Quelques minutes après, elle a quitté son boy-friend et est sortie seule du club. Le gangster l'a suivie. Elle s'est dirigée vers un snack-bar à un mile du dancing où elle avait rendez-vous avec le reporter d'un magazine. «Après cette interview, pensait-il, j'aurai le scoop du siècle. Elle a la preuve que le crash d'un 747 près de Paris n'était pas un accident.» Il l'attendait au bar avec beaucoup d'impatience. Mais il n'allait jamais avoir l'occasion d'interviewer ce témoin. Elle avait seulement un moment à vivre.

«*Quand on se fait entendre, on parle toujours bien.*»

—*Molière, 1672*

Sujets de composition

Faites une composition écrite ou orale sur deux des sujets suivants.

L'Influence française

Comment est-ce que la France influence la cuisine américaine aujourd'hui? la mode américaine? le sport? les produits cosmétiques? les arts? la langue?

La France et les Etats-Unis

Quels rapports politiques existent aujourd'hui entre la France et les Etats-Unis? De quelles organisations mondiales est-ce que les deux pays font partie? Pourquoi nous sommes-nous aidés les uns les autres pendant plusieurs guerres (la guerre révolutionnaire, les deux guerres mondiales?) Que veut dire le mot «allié»? Sommes-nous de vrais alliés actuellement? Expliquez votre réponse. Que pouvons-nous faire pour renforcer les liens entre nos deux pays?

Vous et la France

S'il y a des étudiants français à l'université où vous étudiez, comment les accueille-t-on? Leur faites-vous bon accueil? Comment le sort de la France vous touche-t-il? Expliquez.

Pour bien vivre

La philosophie qui décrit le mieux la France en vingt-cinq mots ou moins est peut-être celle du bon vivant qui dit: «Pour bien vivre, il faut bien manger, bien boire et avoir le sens de l'humour.» Selon vous, que faut-il faire pour vraiment apprécier la vie? Que faites-vous pour être heureux (heureuse)? Comment vos priorités ont-elles été déterminées? A l'école? en famille? Est-ce que vous partagez l'attitude des Français envers la vie? Expliquez votre réponse.

Le Train de vie des Américains

Que font les Américain(e)s moyen(ne)s pour profiter le plus de la vie? Y a-t-il une seule façon de vivre qui soit adoptée par la plupart des Américains? Laquelle? Qu'est-ce qui détermine les buts de l'Américain(e) typique? L'éducation? la classe sociale? les valeurs respectées par sa famille? D'après les étrangers, c'est l'argent qui compte le plus dans notre train de vie. Qu'en pensez-vous? Sommes-nous maté-rialistes? Pour la majorité des Américains, l'argent est-il une fin ou un moyen qui sert à réaliser certains objectifs? Expliquez vos réponses.

Devinez un peu

1. La France a à peu près la même superficie que
   a. la Nouvelle Angleterre.
   b. le Colorado et l'Arizona.
   c. le Texas.
   d. la Californie.

2. La fête nationale française est
   a. le 4 juillet.
   b. le 1 mai.
   c. le 14 juillet.
   d. le 11 novembre.

3. La population des Etats-Unis est approxativement _____ fois celle de la France.
   a. trois
   b. cinq
   c. huit
   d. dix

4. L'anniversaire de l'Armistice qui marque la fin de la première guerre mondiale est
   a. le 11 novembre.
   b. le 8 mai.
   c. le 7 décembre.
   d. le 6 juin.

5. L'Américaine a le droit de vote depuis 1918; la Française l'a depuis
   a. la première guerre mondiale.
   b. la deuxième guerre mondiale.
   c. la guerre d'Algérie.
   d. la guerre du Viêt-Nam.

6. Cet auteur américain célèbre a vécu à Paris après la première guerre mondiale.
   a. Thornton Wilder
   b. John Steinbeck
   c. Sinclair Lewis
   d. Ernest Hemingway

7. Lequel de ces personnages français n'est jamais venu aux Etats-Unis?
   a. Charlotte Corday
   b. Sarah Bernhardt
   c. Catherine Deneuve
   d. Marie Curie

8. Cet homme politique a été ambassadeur en France au dix-huitième siècle.
   a. Herbert Hoover
   b. Thomas Jefferson
   c. Alexander Hamilton
   d. Aaron Burr

9. Il a succédé à Leonard Bernstein comme chef de l'orchestre symphonique de New York en 1969.
   a. Claude Debussy
   b. Erik Satie
   c. Maurice Ravel
   d. Pierre Boulez

10. Lesquels de ces auteurs ont gagné le Prix Nobel?
    a. André Gide
    b. Pearl Buck
    c. Albert Camus
    d. Saul Bellow

De Vrais Amis

Les Adjectifs en -eux et -ieux

Les adjectifs français en -eux et en -ieux correspondent aux adjectifs anglais qui se terminent en «-ous» et en «-ious». La plupart de ces adjectifs sont dérivés des substantifs.

cancéreux(-se) *cancerous*

désastreux(-se) *disastrous*

furieux(-se) *furious*

Ecrivez les adjectifs en -(i)eux qui sont dérivés des substantifs suivants.

1. la victoire
2. le délice
3. le scandale
4. l'ambition
5. la calomnie
6. la caprice
7. le courage
8. le danger
9. la gloire
10. l'harmonie
11. la mélodie
12. le nombre
13. le scrupule
14. la religion
15. la superstition

Les Adjectifs en -if

Les adjectifs ayant la terminaison masculine -if en français se terminent en «-ive» en anglais.

exclusif(-ve) *exclusive*

explosif(-ve) *explosive*

imaginatif(-ve) *imaginative*

impulsif(-ve) *impulsive*

Donnez le contraire des adjectifs français suivants. Utilisez seulement des adjectifs en -if.

1. objectif
2. positif
3. exact
4. offensif
5. passif
6. constructif
7. hésitant
8. improductif
9. réfléchi
10. modéré

La France ou les Etats-Unis ou bien les deux à la fois? Décidez quel pays est décrit dans les expressions suivantes et expliquez brièvement la raison de votre choix. (Il est même possible qu'une seule expression se réfère aux deux pays.) Employez autant d'adjectifs semblables en anglais et en français que possible.

MODELE: une cuisine délicieuse

Une cuisine délicieuse se réfère aux deux pays. Ils ont chacun une cuisine très variée et délectable.

1. une population nombreuse
2. des hommes politiques scandaleux
3. des voitures dangereuses
4. des régions montagneuses
5. une industrie touristique lucrative
6. un peuple travailleur
7. des soldats courageux
8. des monuments commémoratifs
9. une capitale merveilleuse
10. une économie productive

«*La France est le plus beau royaume après celui du ciel.*»

—*Proverbe hollandais*

Index Culturel

L'ACADEMIE FRANÇAISE   Founded in 1635 by Richelieu to edit an official dictionary of the French language. The French Academy consists of forty members.

BERLIOZ, HECTOR (1803–1869)   French composer whose works include *La Symphonie fantastique.*

BOULEZ, PIERRE (born 1925)   French composer and orchestra leader; succeeded Leonard Bernstein as director of the New York Philharmonic in 1969.

BUNUEL, LUIS (born 1900)   Spanish filmmaker; directed films in France, Mexico and Spain. Made his directorial debut with the shocking, surrealistic *Un Chien andalou* (1929).

CAMUS, ALBERT (1913–1960)   French writer and philosopher awarded the Nobel Prize for Literature in 1957. His works include *L'Etranger* (1942), *Le Mythe de Sisyphe* (1942), and *La Peste* (1947).

CASABLANCA   Principal port and largest Moroccan city. Site of a 1943 conference between Winston Churchill and Franklin D. Roosevelt as well as the classic World War II film, *Casablanca,* starring Humphrey Bogart and Ingrid Bergman.

CHAMONIX   Famous for its glaciers; an important center for mountain climbing and winter sports in the French Alps.

CHATEAUX DE LA LOIRE (DE LA RENAISSANCE)   Ensemble of royal or noble residences built during the fifteenth and sixteenth centuries along the Loire, the longest river in France. Some of the most famous are: Amboise, Azay-le-Rideau, Blois, Chambord, and Chenonceaux.

CHEZ MAXIM'S   Renowned Parisian restaurant.

LA CINEMATHEQUE   First and foremost a film library where copies of French and foreign films are categorized and preserved. At present, the Paris *Cinémathèque* has over 50,000 films from all over the world. The *Cinémathèque* also collects books, costumes, photographs, and posters related to cinema. In addition, classic films and those no longer on the commercial circuit are shown daily for a minimal entrance fee.

LA COMEDIE-FRANÇAISE   National theater of France, located in Paris, featuring a classic repertory. Founded by Louis XIV in 1680.

LE CONCORDE   Controversial supersonic air transport co-produced by the British and the French in the 1970s.

CORDAY, CHARLOTTE (1768–1793)   In an attempt to end some of the massacres taking place during the French Revolution, she assassinated Marat, one of the revolutionary leaders. She, in turn, was guillotined.

DEBUSSY, CLAUDE (1862–1918)   French composer whose most famous works include *Prélude à l'après-midi d'un faune* and *Clair de lune.*

DESCARTES, RENE (1596–1650)   French philosopher, mathematician, and physicist. He created analytic geometry and developed the scientific method, from which comes the famous «*Je pense, donc je suis.*»

L'ECOLE NORMALE SUPERIEURE Prestigious French school for the training of teachers; one of the *Grandes Ecoles*.

L'EDIT DE NANTES *See* NANTES, EDIT DE.

ESSEC (ECOLE SUPERIEURE DES SCIENCES ECONOMIQUES ET COMMERCIALES) One of the leading business schools in France.

LES ETATS-GENERAUX Assembly made up of representatives of the three classes—clergy, nobility and bourgeoisie. Voted new taxes during the monarchy. Its last meeting was held in 1789.

LA FETE NATIONALE FRANÇAISE In 1880, July 14 was chosen as the French national holiday, commemorating the storming of the Bastille by the people of Paris on July 14, 1789.

LE FRANC French currency, worth approximately 22 cents. Since the devaluation of the franc after World War II, one hundred old francs are now worth one new franc.

LA FRANCE France currently has a population of 52 million people; its area is smaller than the state of Texas.

FRANÇOIS Iᵉʳ (1494–1547) King during the French Renaissance; crowned in 1515. Great patron of the arts; referred to as the "Knight King." Attracted many artists (including the Italian master, Leonardo da Vinci), nobles, knights, and their ladies to his splendid court at Amboise. (He once remarked: «*Une cour sans femmes est une année sans printemps.*»)

FRANÇOIS II (1544–1560) Son of Henri II and Catherine de Médicis, he was king of France from 1559 to 1560 and first husband of Mary Queen of Scots.

GAUGUIN, PAUL (1848–1903) French artist who, finding civilized life intolerable, abandoned France, his family, and his career at the age of 35. Lived and painted in Tahiti where he had the more primitive lifestyle he had wanted.

LES GRANDES ECOLES Specialized schools for advanced training in administration, the armed services, business, education, literature, and science. Admission is determined by means of a very rigorous entrance exam.

LE GUIDE MICHELIN Detailed tourist guide published annually by Michelin, famous French tire manufacturer, including information on hotels, restaurants and sites of interest. French restaurants are divided into four categories: three-star restaurants offer the best possible food, wine, and service; two-star restaurants are excellent; one-star restaurants are very good, and no-star restaurants are fair to good.

HEMINGWAY, ERNEST (1898–1961) American author who spent the years between World War I and World War II writing in Europe. Lived mainly in Paris. During this period he wrote *The Sun Also Rises* (1926), *A Farewell to Arms* (1929), and *For Whom The Bell Tolls* (1940), among other works. Received the Nobel Prize for Literature in 1954.

HENRI III (1551–1589) King of France from 1574 to 1589. Brother of François II and Charles IX.

HENRI IV (1553–1610) "Good King Henry" ruled France from 1589 to 1610, when he was assassinated by a religious fanatic named Ravaillac. He was an extremely popular ruler. His Edict of Nantes, 1598, re-established religious peace by designating locations throughout France where Protestants were free to practice their religion and maintain standing armies.

L'IMPRESSIONNISME Style of art that renders general impressions of a scene, but suppresses detail. Light, movement, and changing aspects of nature are essential aspects of this style of painting.

JEFFERSON, THOMAS (1743–1826) Replaced Benjamin Franklin as American ambassador to France in 1785. He was witness to many of the events leading up to the French Revolution.

JOSEPHINE, IMPERATRICE (1763–1814) Married Napoleon Bonaparte in 1796. He divorced her in 1809 when their union failed to produce any children. Died at Malmaison.

LAFITTE-ROTHSCHILD One of the greatest *châteaux* producing Bordeaux wine.

LA LETTRE DE CACHET Letter containing an order from the king, sealed with wax bearing the imprint of the royal crest. Often used to imprison a subject without a trial.

LA LOUISIANE Colonized by the French in 1699. Named in honor of Louis XIV. Sold to the United States in 1803 by Napoleon Bonaparte.

LA ROCHEFOUCAULD (1613–1680) French writer, author of *Réflexions ou Sentences et Maximes morales.*

LOUIS XIV (1638–1715) The lengthy reign of the "Sun King," from 1661 to 1715, was a glorious period for the French, but one fraught with problems and conflicts. His ambition and arrogance led him into many unnecessary wars with neighboring countries, a major factor in the collapse of the French economy. In 1685 he revoked the Edict of Nantes, and France lost a good part of its workforce, as French Protestants sought refuge in England, Germany, and Holland. Louis XIV was an outstanding patron of the arts and established a splendid court at Versailles. On his deathbed, he exhorted his successor (Louis XV, just five years old) to try to keep France at peace with other European nations.

LOUIS XV (1710–1774) Called the "Beloved King," he ruled France from 1715 to 1774. He was the great-grandson and successor of Louis XIV, with whom he had very little in common. Louis XIV considered the role of sovereign to be a "delicious" one; Louis XV found it unpleasant. Under his reign, foreign relations and domestic conditions deteriorated further than they had under Louis XIV.

LOUIS XVI (1754–1793) King of France from 1774 to 1792. He was deposed during the French Revolution and beheaded by revolutionaries.

LA MALMAISON Just west of Paris, this was the favorite residence of Napoleon until his divorce from Josephine. It later became her home.

MANET, EDOUARD (1832–1883) Impressionist painter and a leader of the Impressionist movement. *Olympia, Le Déjeuner sur l'herbe,* and *Bar aux Folies-Bergère* are among his most famous works.

LE MARCHE COMMUN (LA COMMUNAUTE ECONOMIQUE EUROPEENNE) The Common Market, begun in 1957 to promote the free exchange of products, capital, and work among member nations: Belgium, Denmark, England, France, Holland, Ireland, Italy, Luxembourg, West Germany, and Greece.

MARIE-ANTOINETTE (1755–1793) Wife of Louis XVI; guillotined shortly after his execution.

LA MARSEILLAISE French national anthem, written in 1792 by Rouget de Lisle. Its first line: *Allons enfants de la patrie, le jour de gloire est arrivé.*

MOLIERE (1622–1673) French actor, director, and author of comedies including *Tartuffe, Le Bourgeois gentilhomme,* and *Le Malade imaginaire.* He was protected and encouraged by Louis XIV.

MONET, CLAUDE (1840–1926) His painting *Impression, soleil levant* (1874) gave the Impressionist movement its name. Some of his best works, which typify Impressionistic painting, include *La Gare St.-Lazare, La Cathédrale de Rouen,* and *Nymphéas.*

MONTAIGNE (1533–1592) French writer and philosopher, author of *Essais*.

NANTES, EDIT DE (1598) Issued by Henri IV; designated locations throughout France (excluding Paris) where Protestants could practice their faith without fear of persecution. Protestants were also allowed to maintain standing armies in two hundred French towns. Its revocation by Louis XIV in 1685 was considered to be one of the most serious mistakes of Louis' reign.

NAPOLEON BONAPARTE (1769–1821) A distinguished general during the French Revolution, Napoleon became emperor of the French in 1804. He restructured and centralized all branches of the French government. The Napoleonic, or Civil, Code of 1804 outlined for the first time the civil rights of French citizens as related to matters of birth, marriage, and death. After conquering most of Europe, Napoleon was defeated at the Battle of Waterloo by the English and the Prussians. In 1815 he was exiled to the island of St. Helena where he died in 1821.

NAPOLEON II (1811–1832) Son of Napoleon I and Marie-Louise (Napoleon I's second wife), he spent his entire life in Vienna. He was declared Emperor of the French in 1815 but never ruled in France.

NAPOLEON III (1808–1873) Nephew of Napoleon I, Louis-Napoleon Bonaparte was elected president of France in 1848. In 1852 he made himself emperor of the French with the title Napoleon III. Neither the soldier nor the administrator that his uncle was, he was a politician considered to be the first modern dictator. His empire ended in 1870 when the Prussians invaded France.

NOSTRADAMUS (1503–1566) French astrologer and doctor. Author of a collection of predictions called *Centuries astrologiques*. He predicted that a general with the same name as his country would be exiled but return

to restructure the nation's government. This came true when Charles de Gaulle left France in 1940 and returned after the war to help reorganize the government.

NOTRE-DAME DE PARIS Gothic cathedral of Paris. Construction was begun in 1163 and finished about 1245.

LA NOUVELLE VAGUE New Wave, a term describing French films of the late 1950s and the 1960s by such film makers as François Truffaut, Jean-Luc Godard, and Claude Chabrol. They considered themselves to be film authors rather than film directors, and the personal style of each is distinct and clearly visible in their works.

ORLEANS City in France on the Loire River; in 1429, during the Hundred Years' War, Orléans was liberated by Joan of Arc.

LE PRIX NOBEL Prize awarded annually for outstanding work in the following fields: chemistry, medicine, physics, physiology, literature, and world peace. Named after Alfred Nobel (1833–1896), Swedish chemist and business executive, whose estate provides the funds for the awards.

LA PROVENCE Formerly a province of France. Colonized by the Romans in the first century B.C.; annexed to France in 1481.

LE QUEBEC Province of Canada settled by the French; official languages today are French and English. Some Canadians want Quebec to secede from Canada; others want to maintain the status quo.

RENOIR, AUGUSTE (1841–1919) Impressionist painter, many of whose masterpieces portray the human face or scenes from contemporary life (*Le Moulin de la Galette, La Balançoire, La Grenouillère*). His paintings of women are particularly admired (*La Baigneuse, Baigneuse blonde*).

RENOIR, JEAN (1894–1979) Son of Auguste Renoir, he was first an actor and then a film maker. During the

French film renaissance of the 1930s he made several important films, including *Boudu sauvé des eaux* (1932), *Le Crime de Monsieur Lange* (1936), *La Grande Illusion* (1937), and *La Règle du jeu* (1939). He spent his last years in the United States.

REPUBLIQUE, PREMIERE French political regime from 1792–1804.

REPUBLIQUE, DEUXIEME French political regime from 1848–1852.

REPUBLIQUE, TROISIEME French political regime from 1870–1940.

REPUBLIQUE, QUATRIEME French political regime from 1944–1958.

REPUBLIQUE, CINQUIEME French political regime from 1958–present. As each *république* ends, so does its constitution. The French are now in their fifth *république* working under their thirteenth constitution since the revolution.

RICHELIEU (1585–1642) Cardinal and powerful French statesman during the reign of Louis XIII. He effected many financial, legislative, and military reforms and augmented the power of the king. His lack of concern for the happiness of the average French citizen and his cold-blooded nature made him universally unpopular. Numerous assassination attempts were plotted against him; none was successful.

RODIN, AUGUSTE (1840–1917) Classic master of realistic sculpture, often compared to Michelangelo. *Le Penseur, Le Baiser* and *Les Bourgeois de Calais* are some of his most famous works.

LE ROI-CHEVALIER The "Knight King." See François Ier.

LE ROI-SOLEIL The "Sun King." See Louis XIV.

SAINT LOUIS (1214–1270) Louis IX, king of France from 1226 to 1270, canonized by the Catholic church under the name St. Louis. He led several crusades to the Holy Land to free Palestine from Egypt and had

Sainte-Chapelle and the Sorbonne built in Paris. He was known for his integrity and devotion to the Catholic faith.

SAINT-SAËNS, CAMILLE (1835–1921) French composer whose works include *Samson et Delila* and *La Danse macabre.*

SAINT-TROPEZ Resort on the French Riviera frequented by the international "jet set."

SARTRE, JEAN-PAUL (1905–1980) French writer and philosopher, father of existentialism. Attended the prestigious *Ecole Normale.* Among his works are *La Nausée* (1938) and *L'Etre et le néant* (1943). Refused the Nobel Prize for Literature in 1964.

LA SORBONNE Branch of the University of Paris founded in the thirteenth century and attended by theology students. Presently for students of the humanities.

STRASBOURG Capital of Alsace. Industrial port city on the Rhine, located 447 kilometers east of Paris. Now a French city, it was taken over by the Germans in 1870 during the Prussian War. After being liberated in 1918, it was reoccupied by Germany from 1940 to 1944 during World War II. Seat of the European parliament.

LA TOUR EIFFEL Built by three hundred workers in two years, two months, and two days for the *Exposition universelle* of Paris in 1889. Until recent years, it was the number-one tourist attraction in France.

LE TOUR DE FRANCE The most arduous and most famous bicycle race in the world. Started by Henri Desgranges in 1903, it is held every July, lasts twenty days, and covers five thousand kilometers.

TRUFFAUT, FRANÇOIS (born 1932) French New Wave film maker whose most famous films include *Les Quatre Cents Coups* (1959), *Tirer sur le pianiste* (1960), and *Jules et Jim* (1961). He has also acted in films, including *L'Enfant sauvage* and *Close Encounters of the Third Kind.*

LES TUILERIES Royal residence in Paris until the seventeenth century when Louis XIV moved the French court to Versailles. The palace was destroyed in 1882, but part of the gardens remain.

L'UNIVERSITE EN FRANCE The oldest university in France is the University of Paris. It dates back to the thirteenth century, when students studied church law, liberal arts, medicine, or theology. Women were not admitted to French universities until the nineteenth century. In 1808, Napoleon centralized the university system and put it under the direct supervision of the French government. University courses start in late October or early November. The grading scale goes from 0 to 20, with 10 being the equivalent of a C in an American university.

VERSAILLES Sumptuous palace of Louis XIV located just outside of Paris, considered a masterpiece of French architecture and art. The ensemble of buildings includes the royal residence, a museum with paintings and sculpture related to French history, an enormous park with formal gardens, and a few small *châteaux.* Two important treaties were signed at Versailles, the first one ending the American Revolutionary War and the second ending World War I.

LE VIET-NAM Became a centralized empire, with French help, in 1802. During the nineteenth century, the French colonized parts of Viet Nam. They refused to grant independence to certain regions of Viet Nam after World War II. The French left Viet Nam in 1954 after their defeat at Dien-Bien-Phu.

DE VINCI, LEONARD (1452–1519) Italian painter, sculptor, engineer, and architect who spent his last years at the French court under the patronage of François Ier. He gave one of his most famous paintings, *La Joconde* (the Mona Lisa), to the French; it now hangs in the Louvre.

WATERLOO Belgian city, site of Napoleon's final defeat in 1815 at the hands of the British and Prussian armies. Napoleon was exiled for the second time to the British island of Saint Helena, a remote spot in the South Atlantic some 1200 miles from the African coast, where he died in 1821.

LE ZAÏRE Formerly the Belgian Congo; became an independent nation in 1960.

Lexique

This vocabulary contains French words and expressions used in this book, with contextual meanings. Exact cognates and other easily recognizable words are not included. An asterisk (*) indicates words beginning with an aspirate *h*.

Abbreviations

adj. adjective
adv. adverb
conj. conjunction
f. feminine
fam. familiar
inv. invariable

m. masculine
n. noun
pl. plural
p.p. past participle
prep. preposition
pron. pronoun

A

abandonner to abandon
l' **abeille** *f.* bee
abîmer to spoil, damage
aboutir à to result in
abréger to condense
l' **abri** *m.* shelter
absolu *adj.* absolute
absolument *adv.* absolutely
absorbant *adj.* absorbent
absorber to absorb
l' **Académie française** *f.* *see index*
accepter to accept
accommodant *adj.* accommodating
accommoder to accommodate
accompagner to accompany
accomplir to accomplish
l' **accord** *m.* agreement
accorder to grant
l' **accueil** *m.* welcome
accueillir to welcome
acheter to buy

achever to terminate; to complete; to achieve
acquérir to acquire
l' **acteur** *m.* actor
actif (active) *adj.* active
l' **activité** *f.* activity
l' **actrice** *f.* actress
les **actualités** *f. pl.* current events
actuel(le) *adj.* present
actuellement *adv.* at present
l' **addition** *f.* check (restaurant)
l' **adjectif** *m.* adjective
admettre to admit
administrer to administer
admirer to admire
s' **adonner à** to indulge in
adopter to adopt
adorer to adore; to love
adresser to present
l' **adverbe** *m.* adverb
l' **adversaire** *m.* adversary; visiting team
aérien(ne) *adj.* aerial
l' **aéroport** *m.* airport

afin (de) *prep.* in order to
africain *adj.* African
l' **Afrique** *f.* Africa
l' **agence** *f.* agency; **agence de voyages** travel agency
agir to act; **s'agir de** to be about
agressif (agressive) *adj.* aggressive
l' **aide** *f.* help
aider to help; **s'aider** to help one another
aimer to love; to like
aîné *adj.* elder; eldest
ainsi *adv.* in that way; **ainsi de suite** and so forth; **ainsi que** *conj.* as well as
ajouter to add
alarmant *adj.* alarming
l' **alcool** *m.* alcohol
alcoolisé *adj.* alcoholic
l' **aliment** *m.* food
alimentaire *adj.* related to food
allant: allant à l'encontre de which endanger
l' **allée** *f.* path
allemand *adj.* German
aller to go; **l'aller simple** *m.* one-way ticket
allié *adj.* allied
allumer to light; to start
l' **alpinisme** *m.* mountain climbing
l' **alpiniste** *m.* mountain climber
A.M.: Arts et Métiers a technical school
l' **amateur** *m.* amateur; connaisseur
l' **ambassadeur** *m.* (**l'ambassadrice** *f.*) ambassador
améliorer to improve
amener to take (someone somewhere)
américain *adj.* American; **à l'américaine** in the American style
l' **ami** *m.* (**l'amie** *f.*) friend
l' **amitié** *f.* friendship
l' **amour** *m.* love

amoureux (amoureuse) *adj.* in love
amusant *adj.* amusing
s' **amuser** to have a good time
l' **an** *m.* year
l' **analyse** *f.* analysis
analyser to analyze
analytique *adj.* analytical
l' **ancêtre** *m.* + *f.* ancestor
ancien(ne) *adj.* old; former; **l'ancien combattant** *m.* veteran
l' **ange** *m.* angel
anglais *adj.* English
l' **Angleterre** *f.* England
anglophone *adj.* English-speaking
l' **animal** *m.* animal
animer to animate
l' **Anjou** *m.* wine-producing region of France
l' **année** *f.* year
l' **anniversaire** *m.* anniversary; birthday
l' **annonce** *f.* announcement; advertisement; **petites annonces** want-ads
annoncer to announce
l' **annuaire** *m.* telephone directory
l' **anorak** *m.* ski jacket
l' **antonyme** *m.* opposite
s' **apercevoir de** to become aware of
aperçu *p.p. of* **apercevoir**
l' **apôtre** *m.* apostle
apparaître to appear
l' **apparence** *f.* appearance
apparenté *adj.* related
l' **appartement** *m.* apartment
appartenir to belong
appartenu *p.p. of* **appartenir**
appeler to call
l' **appétit** *m.* appetite
apporter to bring (something)
apprécier to appreciate
apprendre to learn; **apprendre à** to teach
l' **apprentissage** *m.* apprenticeship
appris *p.p. of* **apprendre**

s' **approcher de** to approach
approprié *adj.* appropriate
approuver to approve
l' **approvisionnement** *m.*
    receiving department
approximativement *adv.*
    approximately
après *prep.* + *adv.* after;
    afterwards;
    d'après *prep.* according to;
    after
l' **après-midi** *m.* + *f.* afternoon
apte *adj.* available; able
l' **arbitre** *m.* umpire; referee
l' **arbuste** *m.* bush
l' **Arc de Triomphe** *m.* Arch of
    Triumph
archaïque *adj.* archaic
l' **argent** *m.* money; **argent de**
    poche pocket money
l' **argot** *m.* slang
argotique *adj.* slang
l' **argumentateur** *m.*
    (l'**argumentatrice** *f.*) arguer
l' **armée** *f.* army
armer to arm
l' **Armistice** *m.* Armistice (signed
    Nov. 11, 1918)
s' **arranger** to be arranged
l' **arrêt** *m.* stop; **arrêt de volée**
    interception (football)
arrêter de to stop (someone,
    something); to arrest;
    s'arrêter to stop (oneself)
l' **arrière** *m.* guard (basketball);
    en arrière in the back;
    backwards (motion)
l' **arrière-pays** *m.* wilderness (for
    camping, hiking, etc.)
l' **arrivée** *f.* arrival
arriver to arrive; to happen
arroser to pour over; to flavor
l' **artifice** *m.* artificial means;
    trick; **le feu d'artifice**
    fireworks display
artistique *adj.* artistic
l' **asile** *m.* asylum; refuge
l' **asperge** *f.* asparagus

l' **assassinat** *m.* assassination
assassiner to assassinate
s' **asseoir** to sit down
l' **assiette** *f.* plate
assis *p.p. of* **asseoir**
l' **assistant social** *m.* social worker
assister à to attend
l' **assortiment** *m.* matching
assumer to take upon oneself
l' **assurance** *f.* insurance;
    assurance des frais médicaux
    medical insurance
assurer to assure
l' **atelier** *m.* (work)shop; studio
attacher to attach; **s'attacher** to
    devote oneself
l' **attaque** *f.* offense
attaquer to attack
attendre to wait for; **s'attendre à**
    to expect
attirer to attract
l' **attrapeur** *m.* catcher (baseball)
aucun *adj.* + *pron.* not any; none
aujourd'hui today
auprès de *prep.* close to; near; to
aussi *adv.* also; **aussi...que**
    as . . . as
autant *adv.* as much; as many
l' **auteur** *m.* author
l' **auto-stop** *m.* hitchhiking
l' **autoroute** *f.* highway
autour de *prep.* around
autre *adj.* other; *n., m.* + *f.* the
    other (one)
autrefois *adv.* formerly, in the
    past
avance: d'avance *adv.* ahead of
    time; ahead
avancer to advance; to go
    forward
avant *prep.* before; **en avant**
    adv. in front; ahead of;
    l'**avant** *n. m.* forward
    (baseball)
l' **avantage** *m.* advantage
avec *prep.* with
l' **avenir** *m.* future
l' **aventure** *f.* adventure

l' **avertissement** *m.* warning; notice

aveuglément *adv.* blindly

l' **avion** *m.* airplane

l' **avis** *m.* opinion

l' **avocat** *m.* (l'**avocate** *f.*) lawyer

avoir to have; **avoir besoin de** to need; **avoir faim** to be hungry; **avoir l'habitude de** to be in the habit of doing something; **avoir lieu** to take place

ayant *pres. p.* **avoir**

B

le **bac(calauréat)** French secondary school diploma

la **bagarre** fight

le **baigneur (**la **baigneuse)** bather

le **bain** bath

le **baiser** kiss

le **bal** ball; dance

la **balade** outing; stroll; **se balader** to go for a stroll

la **balle** small ball (not inflatable)

le **ballon** any inflatable ball

la **banlieue** suburbs

la **banque** bank

la **barrière** barrier

bas(se) *adj.* low

la **base** basis; base; **base du batteur** home plate (baseball)

baser to base

la **bataille** battle

le **bâtard (**la **bâtarde)** bastard

le **bateau** boat; **bateau à voiles** sailboat

bâtir to build

le **batteur** batter (baseball)

le **bavardage** chatting

bavarder to chat

beau (bel, belle) *adj.* beautiful; handsome

beaucoup *adv.* a lot; much

la **beauté** beauty

les **beaux-arts** *m. pl.* fine arts

le **bébé** baby

la **Belle** Beauty

bénir to bless

le **besoin** need; **avoir besoin de** to need

la **bête** beast; animal; fool

la **bêtise** foolish thing; blunder; nonsense

le **beurre** butter; **beurre d'arachide** peanut butter

la **bibliothèque** library

la **bicyclette** bicycle

bien *adv.* well; **bien des** a lot of; **bien que** *conj.* even though

le **bien-être** well-being

bienfaisant *adj.* beneficial

bientôt *adv.* soon

le **bienvenu** welcome

la **bière** beer; **bière pression** beer on tap

le **bijou** jewel

bilingue *adj.* bilingual

le **billet** ticket; **billet d'aller et retour** round-trip ticket; **billet de banque** bank note; paper currency; **billet de remonte-pente** ski-lift ticket

bizarre *adj.* weird

le **blanc** white wine; **Blancs** *m. pl.* white people

blanc (blanche) *adj.* white

bleu *adj.* blue

bloquer to block

boire to drink

le **bois** forest; firewood

la **boisson** drink

la **boîte** box; can

bon(ne) *adj.* good; **bon marché** *adj.* inexpensive

le **bord** edge

la **bosse** hump

bosser *fam.* to work

botter (le ballon) to kick (the ball)

la **bouche** mouth

la **bouchée** mouthful

le **bouchon** cork

bouger to move around; to budge

le **boulanger (**la **boulangère)** baker

la **boule** ball; bowl; **jouer aux boules** to play an outdoor bowling game

la **boum** party; get-together

la **Bourgogne** Burgundy (wine-producing region near the center of France)

le **bourreau** executioner

la **bouteille** bottle

la **boutique** shop

la **boxe** boxing

bref (brève) *adj.* brief

la **Bretagne** Britanny

le **brie** soft cheese made in the Paris region

brièvement *adv.* briefly

la **brousse** wilds

la **bru** daughter-in-law

le **bruit** noise

brûler to burn

brusquement *adv.* abruptly

bruyamment *adv.* noisily

bruyant *adj.* noisy

bu *p.p. of* **boire**

le **buffle** buffalo

le **bureau** desk; office; **bureau de location** box office; **bureau de tabac** tobacco shop

le **but** goal; purpose

le **buveur (la buveuse)** drinker

C

la **cabine (téléphonique)** (phone) booth

les **cabinets** *m. pl.* restroom

cacher to hide

le **cadre** middle management

le **café** coffee; café

la **cafétéria** cafeteria; snack-bar

cahoteux (cahoteuse) *adj.* rugged

la **caisse** cashier's desk; cash register; case

le **calmant** sedative

calmement *adv.* calmly

la **calomnie** calumny, slander

calomnieux (calomnieuse) *adj.* slanderous

le, la **camarade** friend

le **Cambodge** Cambodia

le **camembert** soft cheese from Normandy

le **camion** truck

la **campagne** country; countryside

canadien(ne) *adj.* Canadian

cancéreux (cancéreuse) *adj.* cancerous

le **cancre** dunce

le **candidat (la candidate)** candidate

la **candidature** candidacy; **poser sa candidature (à)** to apply (for)

Cannes elegant resort city on the French Riviera; site of annual French film festival

capital *adj.* outstanding

captivant *adj.* captivating

la **caractéristique** characteristic

caraïbe *adj.* Caribbean

la **caravane** small recreational vehicle

le **carnaval** carnival

le **carnet** booklet

la **carotte** carrot

la **carrière** career

la **carte** map; card; **carte postale** postcard; **carte de remonte-pente** ski-lift ticket

le **cas** case

la **catégorie** category

catégorisé *adj.* categorized

catholique *adj.* catholic

causer to cause; to chat

la **causerie** talk

ce (cet, cette) *adj.* this; that

célèbre *adj.* famous

célébrer to celebrate

la **célébrité** celebrity

célibataire *adj.* unmarried

celui *m.* **(celle** *f.***)** *pron.* the one

Cendrillon Cinderella

la **centrale nucléaire** nuclear power plant

le **centre** center

le	cercle circle			d'orchestre conductor; **chef**
	certainement *adv.* certainly			**de produits** product
	ces *adj.* these; those			engineer
	c'est-à-dire *conj.* that is to say;	le		chemin road; **chemin de fer**
	in other words			railroad
	ceux *m.* (**celles** *f.*) *pron.* those;			cher (**chère**) *adj.* expensive; dear
	these			chercher to look for
	chacun *pron.* each one	le		cheval horse
la	chaîne chain	le		chevalier knight
la	chair flesh	la		chèvre goat
la	chaise chair; **chaise à bascule**			chez *prep.* at the place of
	rocking chair			**Chez Maxim's** *see index*
la	chambre bedroom; room;			chic *adj., inv.* elegant
	chamber	le		chien (la **chienne**) dog
le	chameau camel	la		chimie chemistry
le	champ field; outfield			choisir to choose
le	champignon mushroom	le		choix choice
la	chance luck; opportunity	le		chômage unemployment
le	change foreign currency			choquant *adj.* shocking
	exchange			choquer to shock
le	changement change	la		chose thing
	changer to change	la		choucroute sauerkraut,
la	chanson song			specialty of Alsace-Lorraine
	chanter to sing			chouette *adj., fam.* great
le	chanteur (la **chanteuse**) singer	la		chronique chronicle
la	chapelle chapel			ci-dessous (here) below
le	chapitre chapter			ci-dessus above
	chaque *adj.* each	le		ciel sky; heaven
la	charcuterie delicatessen;	le		cinéma cinema; movie theatre
	products of delicatessen	la		**Cinémathèque** *see index*
	chargé *adj.* in charge	le		cinématographe
la	charité charity			cinematographer
	charmant *adj.* charming			cinématographique *adj.* film
le	charme charm	la		circonstance circumstance
	charmer to charm	le		circuit circuit; tour
la	chasse hunting; **chasse au trésor**	la		circulation traffic
	treasure hunt	le		cirque circus
la	chasteté chastity	le		citadin city-dweller
le	chat (la **chatte**) cat	la		citation quotation
le	château castle	le		citoyen (la **citoyenne**) citizen
	chaud *adj.* hot	le		civil civilian
le	chauffeur (la **chauffeuse**) driver;			civilisé *adj.* civilized
	chauffeur de taxi taxi driver			clair *adj.* clear
la	chaussure shoe	la		clarté light; clearness
	chauvin *adj.* chauvinistic	la		classe class
le	chauvinisme chauvinism			classique *adj.* classic; classical
le	chef leader; **chef de l'attaque**	le		clavecin harpsichord
	quarterback; **chef d'équipe**	la		clef key
	group leader; **chef**			

le **cloître** cloister
le **cochon** pig
le **coeur** heart; **au coeur de** deep in the heart of
collectif (collective) *adj.* team; group
la **collection** showing
collectionner to collect
le **collège** college
le, la **collègue** colleague
la **colline** hill
le **colon** colonist; settler
la **colonne** column
le **combattant** fighter
combattre to fight
combien *adv.* how much; how many
la **comédie** comedy
comique *adj.* comic; comical
le **comité** committee
commander to order
comme like; as
commémoratif (commémorative) *adj.* commemorative
commencer to begin
comment *adv.* how
le **commentaire** comment; commentary
commenter to make a comment about
commerçant *adj.* commercial; business
le **commerçant (la commerçante)** merchant; shopkeeper
le **commerce** business
commun *adj.* common; **en commun** in common
la **communauté** community
communicatif (communicative) *adj.* communicative
la **compagnie** company
la **comparaison** comparison
comparer to compare
complet (complète) *adj.* complete
complètement *adv.* completely
compléter to complete
comporter to include

composer to compose; **se composer de** to consist of
le **compositeur (la compositrice)** composer
la **compréhension** understanding
comprendre to understand
compris *adj.* included
le **compte** account; **compte rendu** report; **compte tenu de** *prep.* given
compter to count; to expect
se **concentrer** to concentrate
concerner to concern; to deal with
le **concours** competition
le **concurrent** competitor
condamner to condemn; **condamner à mort** to condemn to death
le **conducteur** train conductor
conduire to drive
la **conférence** lecture
la **confiance** confidence
confirmer to confirm
la **confiture** jelly
le **confrère** colleague
la **connaissance** acquaintance; knowledge
connaître to know; to be acquainted with
connu *p.p. of* **connaître**
consacrer to consecrate; to dedicate
le **conseil** advice
le **conseiller (la conseillère)** counselor
conservateur (conservatrice) *adj.* conservative
la **conservation** preservation
la **conserve** canned food
considérer to consider; **se considérer** to consider oneself
la **consigne** baggage room; baggage lockers
consister en to consist of
le **consommateur (la consommatrice)** consumer

la **consommation** consumption
la **consonne** consonant
constructif (constructive) adj. constructive
construit adj. constructed
consulter to consult
contemporain adj. contemporary
content adj. happy
se **contenter de** to be happy with
le **contenu** contents; subject matter
continuer to continue
le **contraire** opposite; against
le **contradicteur** opponent
le **contraste** contrast
contraster to contrast
contre prep. against
le **contre** cons (as in *pros and cons*)
contribuer to contribute
contrôler to inspect; to control
controversé adj. controversial
la **conurbation** agglomeration of several neighboring cities of equal importance
convenir to fit
convoquer to summon
coopérer to cooperate
correspondre to correspond
corriger to correct
la **Corse** Corsica
cosmétique adj. cosmetic
la **cosmétologie** cosmetology; cosmetic treatment of skin, hair, and nails
la **côte** coast; **Côte d'Azur** Riviera
le **côté** side; **à côté de** prep. next to; **de côté** adv. aside
la **côtelette** cutlet, chop
la **couchette** berth (on ship, train)
coudre to sew; **la machine à coudre** sewing machine
la **couleur** color
le **couloir** lane
le **coup** knock, blow; **coup d'envoi** kickoff; **coup de foudre** love at first sight; **coup manqué** strike (baseball);

coup d'oeil glance; **coup de pénalité** penalty shot; **coup de pied** kick
couper to cut
la **cour** court
courageux (courageuse) adj. courageous
couramment adv. fluently
courant adj. fluent; current; general; **au courant de** informed about, "in the know"
courir to run
couronner to crown
le **courrier** mail
le **cours** university class, course; **au cours de** prep. during the course of
la **course** race
court adj. short; **à court délai** at short notice
le **couscous** popular North African main dish
le **cousin (la cousine)** cousin; **cousin germain** first cousin
coûter to cost
la **couture** dressmaking
le **couturier (la couturière)** fashion designer
la **couverture** blanket
couvrir to cover
la **création** creation
la **créativité** creativity
créer to create
la **crème** cream
la **crête** crest
la **crevette** shrimp
criard adj. loud, gaudy
la **crise** crisis
la **critique** review
critiquer to criticize
croire à to believe in
la **croisière** cruise
croissant adj. growing
la **crosse (de hockey)** (hockey)stick
les **crudités** raw vegetables
cueillir to gather; to cut; to pick
la **cuisine** kitchen; cooking; food

le **cuisinier (**la **cuisinière)** chef
cuit *adj.* cooked; **bien cuit** *adj.*
  well-done
culinaire *adj.* culinary
cultiver to cultivate
culturel(le) *adj.* cultural
C.V. (curriculum vitae) resumé

D

d'abord *adv.* first; at first
d'ailleurs *adv.* anyway
la **dame** lady
le **dancing** dancing club
dangereux (dangereuse) *adj.*
  dangerous
la **danse** dance
danser to dance
le **danseur (**la **danseuse)** dancer
le **débarquement** landing
débarquer to land
le **débat** debate
débattre to debate
debout *adv.* standing
le **début** beginning
décevant *adj.* disappointing
la **déchéance** downfall
déchiffrer to decipher
décider to decide
décisif (décisive) *adj.* decisive
se **déclarer** to declare oneself
le **décor** decoration
décorer to decorate
décourager to discourage
la **découverte** discovery
découvrir to discover
décrire to describe
dédier to dedicate
la **défaite** defeat
le **défaut** fault
défendre to defend; to forbid
défendu *adj.* forbidden
défensif (défensive) *adj.*
  defensive
le **défi** challenge
définir to define
le **dégagement: dégagement interdit**
  icing (hockey)

déguiser to disguise
dehors *adv.* outside; **en dehors**
  des règles illegally
le **déjeuner** lunch; **petit déjeuner**
  breakfast
le **délai** time allowed; **à court**
  délai at short notice
délicat *adj.* delicate
le **délice** delight
délicieux (délicieuse) *adj.*
  delicious
demain *adv.* tomorrow
la **demande** demand
demander to ask for
déménager to move
démoraliser to demoralize
démissionner to resign
le **dénouement** ending
dentelé *adj.* rugged
le **départ** departure
dépasser to go beyond; to
  exceed
dépeindre to depict, describe
dépendre de to depend on
dépenser to spend (money)
se **déplacer** to move; to travel
déplaire to displease
déprimé *adj.* depressed
depuis *prep.* since; for
le **député** deputy
déraisonnable *adj.*
  unreasonable
déranger to disturb
dériver to derive
dernier (dernière) *adj.* last
se **dérouler** to take place
désagréable *adj.* disagreeable
désastreux (désastreuse) *adj.*
  disastrous
le **désavantage** disadvantage
la **descente** descent
désigner to designate
le **désir** desire
désirer to desire
désireux (désireuse) *adj.*
  desirous
desservir to serve
  (transportation)

le **dessin** drawing; **dessin animé** cartoon
le **destin** destiny
destiné adj. destined
destructif (destructive) adj. destructive
le **détail** detail
détaillé adj. detailed
détendu adj. relaxed
la **détente** relaxation
déterminer to determine
détesté adj. detested
détruit adj. destroyed
deuxième adj. second
devant prep. in front of
développé adj. developed
le **développement** development
devenir to become
deviner to guess
la **devinette** puzzle
devoir to have to, must
le **devoir** duty; assignment; pl., homework
le **dévouement** devotion
le **diable** devil
la **dictée** dictation
dicter to dictate
le **dictionnaire** dictionary
diététique adj. dietetic; **la cuisine diététique** nutritious, healthful cooking
Dieu m. God
différer to differ
difficile adj. difficult
la **difficulté** difficulty
digne adj. worthy
le **dilettante** amateur
dimanche Sunday; **le dimanche** every Sunday
le **dîner** dinner
le **diplôme** diploma
dire to say; to tell
diriger to direct; **se diriger vers** to head towards
discerner to distinguish
discipliner to discipline
le **discours** speech
discuter de to discuss

disparaître to disappear
disponible adj. available
disposer to have
disputé adj. fought over
se **distraire** to amuse oneself
distrayant adj. diverting, entertaining
dit p.p. of **dire** adj. called
divers adj. diverse; miscellaneous
la **diversité** diversity
le **divertissement** entertainment; distraction
diviser to divide; **se diviser** to divide up
divorcer (d'avec) to divorce
dix-huitième adj. eighteenth
dix-neuvième adj. nineteenth
dix-septième adj. seventeenth
la **dizaine** about ten
le **documentaire** documentary
domestique adj. domestic
dominer to dominate
donc conj. therefore
donner to give; **donner sur** to look out on
dont rel. pron. whose; from, of, about which or whom
le **dormeur** sleeper
dormir to sleep
le **dos** back
le **dossier** file; brief
doublé adj. dubbed
la **douche** shower
doué adj. gifted
le **doute** doubt
dresser to put up (e.g., a tent)
dribbler to dribble (e.g., a ball)
droit adj. right; straight; **de droite** on the right
le **droit** right; **droit de vote** right to vote (obtained by French women in 1945)
drôle adj. funny; **un(e) drôle de...** a funny...
le **dromadaire** dromedary
le **duc** duke
dur adj. hard; hard-boiled

durant *prep.* during

la **durée** duration

durer to last

E

l' **eau** *f.* water

échanger to exchange

l' **échelle** *f.* scale

éclairer to enlighten

l' **école** *f.* school; **école maternelle** school for children 4 to 6 years of age; **école primaire** elementary school

l' **Ecole Normale Supérieure** *f.* *see index*

l' **économie** *f.* economy; economics

écouter to listen to

écrire to write

écrit *p.p. of* **écrire**

l' **édit** *m.* edict; **Edit de Nantes** *see index*

l' **édition** *f.* issue

l' **éducateur** *m.* (l'**éducatrice** *f.*) educator

éducatif (éducative) *adj.* educational

éduqué *adj.* educatèd

effectuer to establish

effet: en effet indeed, as a matter of fact

l' **égalité** *f.* equality

l' **église** *f.* church

égoïste *adj.* selfish

élargir to widen, to broaden

l' **électricité** *f.* electricity

élémentaire *adj.* elementary

l' **élève** *m. + f.* student

éliminer to eliminate

élire to elect

éloigner to remove; to move a distance, further off; to banish

élu *p.p. of* **élire**

s' **empêcher de** to refrain from; to keep oneself from

l' **empereur** *m.* emperor

l' **emplacement** *m.* location

l' **emploi** *m.* employment; use **employer** to use

l' **employeur** *m.* employer

emporter to carry, to take along

emprisonner to imprison

l' **emprunt** *m.* borrowing

en *pron.* some; some of it, of them; **en ce qui concerne** concerning

encercler to encircle

encore *adv.* still

encourageant *adj.* encouraging

l' **encouragement** *m.* encouragement

encourager to encourage

l' **encyclopédie** *f.* encyclopedia

s' **endormir** to fall asleep

l' **endroit** *m.* place

l' **énergie** *f.* energy

énergique *adj.* energetic

l' **enfance** *f.* childhood

l' **enfant** *m. + f.* child

enfin *adv.* at last

s' **enfuir** to run away

l' **engagement** *m.;* **engagement du jeu** face-off

engager to hire

engendrer to engender; to breed

l' **ennemi** *m.* enemy

s' **ennuyer** to become bored

énorme *adj.* enormous

énormément *adv.* enormously

l' **enquête** *f.* inquiry, inquest

enrichir to enrich

l' **enseignement** *m.* teaching

enseigner to teach

ensemble *adv.* together; *n., m.* collection, entirety, whole

ensoleillé *adj.* sunny

ensuite *adv.* afterwards

entendre to hear; **s'entendre** to get along; **entendre parler de** to hear about

entier (entière) *adj.* whole

entourer to surround

entre *prep.* between

l' **entrée** *f.* course between hors-d'oeuvre and meat dish

l' **entreprise** *f.* enterprise

entrer to enter

l' **entrevue** *f.* interview

envers *prep.* towards

l' **envie** *f.* desire; **avoir envie de** to feel like

envié *adj.* envied

environ *adv.* nearly, about

envisager to consider; to contemplate

envoyer to send

l' **épaule** *f.* shoulder

l' **épée** *f.* sword

l' **époque** *f.* era

épouser to marry, wed

l' **époux** *m.* (l'**épouse** *f.*) spouse

l' **épreuve** *f.* test; **épreuve de vitesse** race

éprouver to feel

épuisé *adj.* exhausted

l' **équipage** *m.* crew

l' **équipe** *f.* team; staff

l' **escrime** *f.* fencing

espagnol *adj.* Spanish

l' **espèce** *f.* sort, kind

espérer to hope

l' **espoir** *m.* hope

l' **esprit** *m.* mind; intellect

esquisser to sketch; to outline

essayer de to try to

ESSEC *see index*

l' **essence** *f.* gasoline

essentiel(le) *adj.* essential

essentiellement *adv.* essentially

établir to establish

l' **établissement** *m.* establishment

l' **étage** *m.* floor (of a building)

étant: étant donné given

l' **état** *m.* state; **Etats-Généraux** *pl.* *see Index;* **Etats-Unis** *pl.* United States

été *p.p. of* **être**

l' **été** *m.* summer

l' **étoile** *f.* star

s' **étonner** to be astonished

étrange *adj.* strange

étranger (étrangère) *adj.* foreign

l' **étranger** *m.* (l'**étrangère** *f.*) foreigner; **à l'étranger** abroad

être to be; **être en train de** to be in the process of; **être frappé par** to be struck by; **être reçu à un examen** to pass an exam

l' **étude** *f.* study

l' **étudiant** *m.* (l'**étudiante** *f.*) student

étudier to study

eu *p.p. of* **avoir**

européen(ne) *adj.* European

l' **évasion** *f.* escape

l' **événement** *m.* event

évidemment *adv.* obviously

évoquer to evoke

exactement *adv.* exactly

exagérer to exaggerate

l' **examen** *m.* exam

examiner to examine

excepté *prep.* except

excessif (excessive) *adj.* excessive

exclusif (exclusive) *adj.* exclusive

l' **exemple** *m.* example

exercer to practice; **s'exercer** to get exercise

l' **exercice** *m.* exercise

exigeant *adj.* demanding

exiger to demand; to require

s' **exiler** to exile oneself

exister to exist

exotique *adj.* exotic

l' **expérience** *f.* experiment; experience

l' **expérimentateur** *m.* (l'**expérimentatrice** *f.*) experimenter

expérimenter to experiment

l' **explication** *f.* explanation

expliquer to explain

l' **explorateur** *m.* (l'**exploratrice** *f.*) explorer

l' **exposé** *m.* report

exposer to set forth

l' **expression infinitive** *f.*

grammar structure using an infinitive

expressionniste *adj.* expressionistic

exprimer to express; **s'exprimer** to express oneself

extérieur *adj.* exterior

extraordinaire *adj.* extraordinary

F

face: en face de *prep.* opposite

facile *adj.* easy

facilement *adv.* easily

la **facilité** facility

la **façon** manner, way

facultatif (facultative) *adj.* optional

la **faculté** faculty; school at a university

la **faim** hunger

faire to do, to make; **faire assassiner** to have (someone) assassinated; **faire attention** to be careful; **faire bâtir** to have built; **faire connaissance avec** to become acquainted with; **faire connaître** to bring (something) to light; **faire la cuisine** to do the cooking; **faire cuire** to cook; **faire découvrir** to lead to the discovery of; **faire des économies** to save money; **faire face à** to cope with; **faire une faute personnelle** to foul (basketball); **faire hommage** to pay tribute; **faire de la marche** to go for a walk; **faire le marché** to go grocery shopping; **faire le ménage** to do the housework; **faire parler** to have (someone) speak; **faire partie de** to be part of; **faire peur** to frighten; **faire plaisir** to please; **faire un**

point to score a run (baseball); **faire la queue** to stand in line; **faire réfléchir** to make (someone) think; **faire revivre** to bring back to life; **faire savoir** to make known; **faire sortir** to have leave; **faire du théâtre** to participate in plays; **faire venir** to have (someone) come; **se faire** to be done; to make for oneself; **se faire aimer** to make oneself loved; **se faire connaître** to make oneself known; **se faire entendre** to make oneself heard

fait *p.p. of* **faire**; *n.m.* fact; **du fait de** because

falloir to be necessary

fallu *p.p. of* **falloir**

fameux (fameuse) *adj.* famous

familial *adj.* family

la **familiarité** familiarity

la **famille** family; **famille nombreuse** family with three or more children

fantastique *adj.* fantastic

le **fart** ski wax

fascinant *adj.* fascinating

fatigué *adj.* tired

fatiguer to tire

faux (fausse) *adj.* false

favori(te) *adj.* favorite

féminin *adj.* feminine

la **femme** woman; wife

la **fenêtre** window

fermé *adj.* firm; closed

la **fête** celebration, feast

fêter to celebrate

le **feu** fire; **feu d'artifice** fireworks display

la **fidélité** fidelity

figurer to appear

la **fille** daughter; girl

le **filleul** godson

le **fils** son

la **fin** end

finalement *adv.* finally

financier (financière) *adj.* financial

financièrement *adv.* financially

finir to finish

le **flan** baked custard

fléchi *adj.* bent

la **fleur** flower

le **fleuve** river

la **flexibilité** flexibility

la **fois** time; **à la fois** at the same time; **une fois entré** once (you have) entered; **une fois de plus** again

la **folie** craziness

folklorique *adj.* folkloric

la **fonction** office, function

fonctionner to function

fondé *adj.* based

fonder to found

le **footballeur** football player

forestier (forestière) *adj.* pertaining to a forest

la **forêt** forest

forger to forge; to hammer

le **forgeron** blacksmith

la **formation (professionnelle)** training

la **forme** form, shape; **en forme** in shape

former to form

formuler to formulate

fort *adj.* strong

la **forteresse** fortress

fou (folle) *adj.* crazy

le **four** oven

la **fourchette** fork

fournir to furnish

les **frais** *m. pl.* expenses; **frais de scolarité** school expenses

le **franc** *see index*

français *adj.* French; **à la française** in the French style

la **France** *see index*

franchir to cross

franco-américain *adj.* French-American

François Ier *see index*

François II *see index*

francophone *adj.* French-speaking

le, la **francophone** French-speaking person

la **francophonie** French-speaking world

frappé *adj.* struck

frapper to hit; **frapper juste** to get a hit (baseball)

la **fraternité** brotherhood

le **frein** brake

la **fréquence** frequency

fréquenter to frequent; to attend (school)

le **frère** brother

le **frigo** refrigerator

frit *adj.* fried

les **frites** *f. pl.* French-fried potatoes

frivole *adj.* frivolous

frivolement *adv.* frivolously

la **frivolité** frivolity

froid *adj.* cold

le **fromage** cheese

la **frontière** frontier; border

le **fruit de mer** seafood

frustrer to frustrate

fumer to smoke

furieux (furieuse) *adj.* furious

fut was

futur *adj.* future

G

gagner to earn; to win

gai *adj.* bright, lively

la **galerie** gallery; **Galerie des Glaces** Hall of Mirrors (at Versailles)

garantir to guarantee

le **garçon** boy; waiter

le **garde** keeper; watchman; **garde forestier** forest ranger

garder to keep

le **gardien: gardien de but** goalkeeper

la **gare** train station

la **gastronomie** gastronomy, good eating; culinary customs or style

gâter to spoil

gauche left; **à gauche** on the left

Gauguin   *see index*

le **géant**   giant

gêner   to bother

la **généralité**   generality

généreux (généreuse) *adj.*
generous

la **générosité**   generosity

le **genou**   knee

le **genre**   gender; kind, type

les **gens** *m. pl.*   people

la **géographie**   geography

le, la **géologue**   geologist

la **géométrie**   geometry

germain *adj.*: **cousin germain**
first cousin

la **gestion**   administration,
management; **gestion des
stocks**   inventory control

GFC   employment agency

le **gibier**   game (animal); **gibier de
passage**   migratory game

la **Gironde**   famous wine-producing
region in southwest France
(Bordeaux area)

la **glace**   mirror; ice cream

glisser   to slide

la **gloire**   glory

glorieux (glorieuse) *adj.*
glorious

le, la **gosse** *fam.*   child

gothique *adj.*   Gothic

gourmand *adj.*   glutton

le **goût**   taste

le **gouvernement**   government

le **grade**   level

le **gramme**   gram

la **grammaire**   grammar

grammairien(ne) *adj.*
grammarian

grand *adj.*   big; **le grand public**
general public

la **grand-mère**   grandmother

le **grand-père**   grandfather

les **Grandes Ecoles** *f. pl.*   *see index*

les **grands-parents**   grandparents

la **grappe**   bunch, cluster

le **gratte-ciel**   skyscraper

se **gratter**   to scratch oneself

gratuit *adj.*   free of charge

la **grève**   strike

grignoter   to snack

la **grille (de mots)**   (word) grid

grillé *adj.*   grilled

gris *adj.*   grey

gros(se) *adj.*   big, stout

grouillant *adj.*   teeming with life

le **groupe**   group

grouper   to group; **se grouper**
to get into groups

le **gruyère**   Swiss cheese

la **guerre**   war

le **guichet**   counter (post office, etc.)

le **Guide Michelin**   *see index*

guillotiner   to behead

H

l' **habitant** *m.*   inhabitant

l' **habitation** *f.*   dwelling

habiter   to live

l' **habitude** *f.*   habit; **d'habitude**
adv.   usually

habituel(le) *adj.*   habitual

habituellement *adv.*   habitually

*la **halte de prière**   stopping place
for prayer and meditation

* **handicapé** *adj.*   handicapped

*le **haricot**   bean

l' **harmonie** *f.*   harmony

harmonieux (harmonieuse) *adj.*
harmonious

*la **harpe** *f.*   harp

*le **hasard**   chance, accident; **au
hasard**   at random, by
chance

*la **hâte**   haste

* **hâter**   to hasten, hurry

* **haut** *adj.*   high; **à haute voix**
out loud; **d'en haut**   from on
high; **la haute couture**   high
fashion

*le **hautbois**   oboe

Hemingway, Ernest   *see index*

Henri III   *see index*

Henri IV   *see index*

l' **héritage** *m.*   inheritance

l' **héritier** *m.*   (l'**héritière** *f.*)   heir

hésiter   to hesitate

l' **heure** *f.*   hour; **à l'heure**   per
hour; **heures de pointe**

rush hour; **par heure** an
hour

heureux (heureuse) *adj.* happy

hier *adv.* yesterday

l' **hippodrome** *m.* race track

l' **histoire** *f.* story; history

l' **historien** *m.* (l'**historienne** *f.*)
historian

historique *adj.* historic,
historical

l' **homme** *m.* man

l' **honneur** *m.* honor

l' **hôpital** *m.* hospital

l' **horaire** *m.* schedule

l' **horloge** *f.* clock

*   **hors-jeu** off-sides

l' **hospitalité** *f.* hospitality

l' **hôte** *m.* host

l' **hôtel de ville** *m.* city hall

l' **hôtesse** *f.* hostess

l' **huile** *f.* oil

l' **huître** *f.* oyster

humain *adj.* human; humane

humaniste *adj.* humanist

l' **humilité** *f.* humility

l' **humour** *m.* humor

l' **hypothèse** *f.* hypothesis

I

l' **idée** *f.* idea

identifier to identify

identique *adj.* identical

l' **identité** *f.* identity;
identification

ignoré *adj.* ignored

ignorer to be ignorant or
unaware of

il: il y a (vingt ans) (twenty
years) ago

l' **île** *f.* island

l' **image** *f.* picture

imaginaire *adj.* imaginary

imaginatif (imaginative) *adj.*
imaginative

imaginer to imagine

imiter to imitate

immédiatement *adv.*
immediately

l' **immeuble** *m.* (apartment)
building

immigrer to immigrate

immobile *adj.* stationary

immodéré *adj.* inordinate

impatienter to annoy, irritate

l' **impératif** *m.* command; rule

l' **impératrice** *f.* empress

implanté *adj.* established

imposer to impose

l' **impôt** *m.* tax

impressionner to impress

impressionniste *adj.*
Impressionistic

l' **imprimerie** *f.* printing

improductif (improductive) *adj.*
unproductive

impulsif (impulsive) *adj.*
impulsive

inciter to urge

inconnu *adj.* unknown

l' **inconvénient** *m.* disadvantage

incroyable *adj.* incredible

indépendant *adj.* independent

l' **Inde** *f.* India

l' **Indien** *m.* (l'**Indienne** *f.*)
Indian

indiquer to indicate

indiscipliné *adj.* undisciplined

l' **individu** *m.* individual

l' **individualisme** *m.*
individualism

individualiste *adj.*
individualistic

indochinois *adj.* Indo-Chinese

indulgent *adj.* lenient

l' **industrie** *f.* industry

inférieur *adj.* inferior

l' **infériorité** *f.* inferiority

l' **infidélité** *f.* unfaithfulness

l' **infinitif** *m.* infinitive

infliger to inflict

s' **informer** to become informed

l' **ingénieur** *m.* engineer;
ingénieur-chimiste *m.*
chemical engineer; **ingénieur**

entretien *m.* engineer in charge of machine maintenance

inoffensif (inoffensive) *adj.*

l' **inondation** *f.* flood inoffensive

inoubliable *adj.* unforgettable

inouï *adj.* unheard of

inscrire to write down; **s'inscrire à** to register for

insister to insist

insolite *adj.* unusual

l' **instant** *m.* moment

l' **instituteur** *m.* **(l'institutrice** *f.***)** teacher

instructif (instructive) *adj.* instructive

instruire to instruct; **à s'instruire** by taking classes

intégral *adj.* complete

intellectuel(le) *adj.* intellectual

intelligemment *adv.* intelligently

intense *adj.* heavy

l' **interdiction** *f.* prohibition; **interdiction de commerce** trade sanctions

interdit *adj.* forbidden

intéresser to interest; **s'intéresser à** to be interested in

l' **intérêt** *m.* interest

intérieur *adj.* interior

interplanétaire *adj.* interplanetary

interpréter to interpret

interroger to question

intituler to entitle

l' **intrigue** *f.* plot

introduire to introduce

intuitif (intuitive) *adj.* intuitive

l' **inventeur** *m.* **(l'inventrice** *f.***)** inventor

inviter to invite

irrationnel(le) *adj.* irrational

irriter to irritate

isolé *adj.* isolated

italien(ne) *adj.* Italian

italique: en italique in italics

l' **itinéraire** *m.* itinerary

J

jamais *adv.* ever; never; **à jamais** forever

la **jambe** leg

le **jardin** garden

Jefferson, Thomas *see index*

jeter to throw; **jeter un coup d'oeil** to glance

le **jeu** game; **jeu des acteurs** acting; **jeu de la lumière** play of (changing) light

jeune *adj.* young; **la jeune fille** girl; **les jeunes gens** *m. pl.* young men

la **jeunesse** youth

la **Joconde** Mona Lisa

joint *adj.* joined, touching

joli *adj.* pretty

Joséphine *see index*

jouer to play

le **joueur (la joueuse)** player

le **jour** day

le **journal** newspaper

le, la **journaliste** journalist

la **journée** day, daytime

joyeusement *adv.* joyously

le **juge: juge de touche** linesman

le **jugement** judgment

juger to judge

le **Juif (la Juive)** Jewish person

jumelé *adj.* twin

jumeler to link, connect

le **jus** juice

jusqu'à *prep.* until; as far as

jusqu'à ce que *conj.* until

juste *adj.* just; **frapper juste** to get a hit (baseball)

justifier to justify

K

le **kilo(gramme)** kilogram (2.2 pounds)

le **kilomètre** kilometer (.62 mile)
le **kiosque** newsstand; flower stall

L

là *adv.* there
le **laboratoire** laboratory
le **lac** lake
Lafitte-Rothschild *see index*
la **laisse** leash
laisser to leave; **laisser échapper
le ballon** to fumble; **laisser
tomber** to drop
le **lait** milk
lancer to throw
le **lancer-franc** free throw
le **lanceur de la balle** pitcher
(baseball)
la **langue** language; **langue
maternelle** native language
laquelle *pron.* which
largement *adv.* largely
La Rochefoucauld *see index*
laver to wash
le **lecteur (la lectrice)** university
instructor; reader
la **lecture** reading
légendaire *adj.* legendary
léger (légère) *adj.* light
le **légume** vegetable
le **lendemain** next day
lentement *adv.* slowly
la **lettre** letter; **lettre de cachet** *see
index; pl.* literature;
humanities
leur *adj.* their
lever to raise
la **liberté** freedom
libre *adj.* free; **libre cours** free
rein
lié *adj.* linked
le **lien** bond, connection
le **lieu** place; **au lieu de** *prep.*
instead of; **sur les lieux** on
the spot
la **ligne** figure; **ligne aérienne**
airline
la **limite** limit; **limite du jeu**
boundary

limité *adj.* limited
linéaire *adj.* linear
lire to read
la **liste** list
le **litre** liter
la **littérature** literature
le **littoral** coastline
la **livre** pound
le **livre** book
la **localité** locality
les **locaux** *m. pl.* home team
le **logement** lodging
la **loi** law
la **Loire** *see index*
le **loisir** leisure time; *pl.* leisure
activities
louer to rent
Louis XIV *see index*
Louis XV *see index*
Louis XVI *see index*
la **Louisiane** *see index*
lu *p.p. of* **lire**
lui *pron.* (to) him; (to) her
la **lumière** light; **le siècle des
lumières** Age of
Enlightenment
lunatique *adj.* having
unpredictable mood changes
from day to day
luxueux (luxueuse) *adj.*
luxurious
le **lycée** French secondary school

M

la **machine: machine à coudre**
sewing machine; **machine à
voyager** time machine
macrobiologique *adj.*
macrobiotic
le **magasin** store
le **magazine** magazine
la **magie** magic
magnifique *adj.* magnificent
la **main** hand
maintenant *adv.* now
le **maire** mayor
la **mairie** city hall
le **maïs** corn

la   **maison**   house
le   **maître**   master
la   **maîtresse**   mistress
la   **majorité**   majority
    mal: mal vu *adj.*   held in low
      esteem
la   **maladie**   illness
    malheureux (malheureuse) *adj.*
      unhappy
la   **Malmaison**   *see index*
le   **mandat**   mandate
    Manet, Edouard   *see index*
    manger   to eat; **se manger**   to
      be eaten
le   **mangeur (la mangeuse)**   eater
la   **manière**   way, manner
la   **manifestation**   rally,
      demonstration
    manoeuvrer   to operate (a
      machine)
le   **manque**   lack
    manquer   to be missing
    manuel(le) *adj.*   manual
    manuscrit *adj.*   handwritten
la   **marche**   march
le   **marché**   market; **Marché**
      commun   *see index*
    marché *adj.*; **bon marché**
      inexpensive
    marcher   to work, function; to
      walk; to travel (basketball)
le   **maréchal**   marshal
le   **mari**   husband
le   **mariage**   marriage
    Marie-Antoinette   *see index*
    marier   to marry; **se marier avec**
      to get married to
les   **mariés** *m. pl.*   married couple;
      nouveaux mariés
      newlyweds
    marqué *adj.*   recorded, marked
la   **marque**   trademark; **à vos**
      marques   on your mark
    marquer   to mark; **marquer un**
      but   to score a goal (hockey);
      marquer un but de trois
      points   to score a field goal
      (football); **marquer un essai**
      to score a touchdown

    (football); **marquer un point**
    to score a home run
    (baseball)
la   **marraine**   godmother
la   **Marseillaise**   French national
    anthem; *see index*
la   **mascotte**   mascot
le   **masque**   mask
le   **mât**   mast
    matérialiste *adj.*   materialistic
le   **matin**   morning
    mauvais *adj.*   bad
la   **maxime**   maxim, general truth,
    rule of conduct
    mécanique *adj.*   mechanical
le   **médecin**   doctor
la   **médecine**   medicine
la   **médiocrité**   mediocrity
    meilleur *adj.*   better; best
    mélancolique *adj.*   melancholy
le   **mélange**   mixture
    mélanger   to mix
la   **mélodie**   melody
    mélodieux (mélodieuse) *adj.*
    melodious
le   **membre**   member
    même *adj.*   same; very; self; *adv.*
    even
le   **ménage**   household; **faire le**
    ménage   to do the
    housework
    mener   to lead
    mentionner   to mention
le   **mépris**   contempt
la   **mer**   sea
la   **mère**   mother
la   **merveille**   marvel
    merveilleux (merveilleuse) *adj.*
    marvelous
la   **messe**   Mass
la   **métallurgie**   metallurgy
le   **météore**   meteor
la   **méthode**   method
    méticuleux (méticuleuse) *adj.*
    meticulous
le   **métier**   trade; craft
le   **mètre**   meter (39 inches)
le   **métro**   underground railway
    system

le **mets** dish, food

le **metteur en scène** director (film, play)

mettre to put; **(vous) mettre au courant** to make (you) aware of, put (you) "in the know"; **se mettre** to put oneself

meunier (meunière) *adj.* coated with flour, then fried

le **Mexique** Mexico

mieux *adv.* better; **le mieux** the best

le **milieu** middle; surroundings

militaire *adj.* military

la **mini-cassette** cassette tape recorder

la **mini-jupe** miniskirt

le **ministre** minister; **premier ministre** Prime Minister

le **miroir** mirror

mis *p.p. of* **mettre**

la **mise: mise en jeu** down (football); **mise en scène** directing

la **misère** misery

la **mobilité** mobility

la **mobylette** motorbike

la **mode** fashion

modéré *adj.* moderate

moins less; **au moins** at least

le **mois** month

Molière *see index*

le **monarque** monarch

le **monastère** monastery

le **monde** world; **tout le monde** everybody

mondial *adj.* world; worldwide

Monet, Claude *see index*

le **moniteur** instructor

montagneux (montagneuse) *adj.* mountainous

Montaigne *see index*

monté *adj.* mounted

monter: monter une pièce to stage a play

la **montgolfière** hot-air balloon

montrer to show; **montrer du doigt** to point (to)

le **morceau** piece

le **mort (la morte)** dead person

la **mort** death

mortel(le) *adj.* mortal

le **mot** word

le **moteur** motor

la **moto** motorcycle

mourir to die

la **moutarde** mustard

le **mouvement** movement

moyen(ne) *adj.* average

le **moyen** way, means; **le Moyen Age** Middle Ages

le **mur** wall

le **musée** museum

le **musicien (la musicienne)** musician

la **musique** music

mystérieux (mystérieuse) *adj.* mysterious

le **mythe** myth

N

la **naissance** birth

naître to be born

Nantes: l'Edit de Nantes *see index*

Napoléon Ier *see index*

Napoléon II *see index*

Napoléon III *see index*

nationaliser to nationalize

le **nationalisme** nationalism

la **nationalité** nationality

naturellement *adv.* naturally

le **naturisme** naturism, relating to natural desires and instincts

né *adj.* born

nécessaire *adj.* necessary

nécessiter to require

négligé *adj.* neglected

la **neige** snow

neuf (neuve) *adj.* new

neutre *adj.* neutral

la **nièce** niece

n'importe no matter

le **niveau** level

le **Noël** Christmas

le **nom** noun; name; last name

le	**nombre** number		**offrir** to offer
	nombreux (nombreuse) *adj.* numerous	l'	**oie** *f.* goose
	nommer to name	l'	**oignon** *m.* onion
	nonpayant *adj.* free of charge		**olympique** *adj.* olympic
le	**non-sens** nonsense	l'	**option** *f.* speciality
le	**nord** north; **au nord** to the north	l'	**or** *m.* gold
	Nostradamus *see index*	l'	**orage** *m.* storm
la	**note** grade; note; score; bill		**oralement** *adv.* orally
	noter to note; to notice	l'	**orateur** *m.* orator, speaker
	Notre-Dame de Paris *see index*	l'	**orchestre** *m.* orchestra
	nourrir to feed	l'	**ordre** *m.* order
la	**nourriture** food		**organiser** to organize
	nouveau (nouvel, nouvelle) *adj.* new	l'	**orgue** *m.* organ (music)
le	**Nouvel An** New Year	l'	**originalité** *f.* originality
la	**nouvelle** news; piece of news; **nouvelle vague** *see index*	l'	**origine** *f.* origin
le	**nu** nudity		**Orléans** *see index*
	nucléaire *adj.* nuclear	l'	**orthographe** *f.* spelling
le	**numéro** number		**où** *adv.* where
	numéroter to number		**oublier** to forget
		l'	**ouest** *m.* west

le **nombre** number
nombreux (nombreuse) *adj.* numerous
nommer to name
nonpayant *adj.* free of charge
le **non-sens** nonsense
le **nord** north; **au nord** to the north
Nostradamus *see index*
la **note** grade; note; score; bill
noter to note; to notice
Notre-Dame de Paris *see index*
nourrir to feed
la **nourriture** food
nouveau (nouvel, nouvelle) *adj.* new
le **Nouvel An** New Year
la **nouvelle** news; piece of news; **nouvelle vague** *see index*
le **nu** nudity
nucléaire *adj.* nuclear
le **numéro** number
numéroter to number

O

obéir à to obey
objectif (objective) *adj.* objective
l' **objectif** *m.* objective
objectivement *adv.* objectively
l' **objet** *m.* object
obligatoire *adj.* obligatory
obliger to oblige
obliquement *adv.* diagonally
obtenir to obtain
l' **occasion** *f.* opportunity
occupé *adj.* occupied; busy
occuper to fill; **s'occuper de** to take care of
l' **océan** *m.* ocean
l' **odeur** *f.* odor
l' **oeil** *m.* eye
l' **oeuf** *m.* egg
l' **oeuvre** *f.* work
offensif (offensive) *adj.* offensive
officiel(le) *adj.* official
l' **offre** *f.* offer

offrir to offer
l' **oie** *f.* goose
l' **oignon** *m.* onion
olympique *adj.* olympic
l' **option** *f.* speciality
l' **or** *m.* gold
l' **orage** *m.* storm
oralement *adv.* orally
l' **orateur** *m.* orator, speaker
l' **orchestre** *m.* orchestra
l' **ordre** *m.* order
organiser to organize
l' **orgue** *m.* organ (music)
l' **originalité** *f.* originality
l' **origine** *f.* origin
Orléans *see index*
l' **orthographe** *f.* spelling
où *adv.* where
oublier to forget
l' **ouest** *m.* west
l' **ours** *m.* bear
l' **outil** *m.* tool
outre *prep.* in addition to
l' **ouvrage** *m.* work, product
l' **ouvreur** *m.* (l'**ouvreuse** *f.*) usher (usherette)
l' **ouvrier** *m.* (l'**ouvrière** *f.*) worker
ouvrir to open
Oxford *see index*

P

le **pain** bread
la **paix** peace
le **palais** palace
le **palet** puck
les **panneaux** *m.* boards (basketball)
le **pape** Pope
le **paquet** bundle, packet
par *prep.* by
la **parade** body check
le **parapluie** umbrella
le **parc** park
parcourir to travel through
pardonner to forgive
le **parent** parent; relative
parfait *adj.* perfect

parfois *adv.* sometimes
le **parfum** perfume
se **parfumer** to put perfume on
la **parfumerie** perfumery (shop); perfume industry
la **parité** parity; equality
le **parking** parking lot
parler to speak; **se parler** to be spoken
parmi *prep.* among
la **parole** word; **avoir la parole** to have the floor
la **part** part; **à part entière** full-fledged; **quelque part** *adv.* somewhere
partager to share
le **partenaire** partner
participer to participate
particulier (particulière) *adj.* particular; private; **en particulier** *adv.* in particular
particulièrement *adv.* particularly
la **partie** part (of a whole)
partir to leave
paru *adj.* appeared
le **pas** step
passage: de passage migratory
le **passager** (la **passagère**) passenger
la **passe** pass; **passe en avant** forward pass; **passe manquée** incomplete pass
le **passé** past
le **passeport** passport
passer to pass; to spend (time); **passer un examen** to take an exam; **passer un film** to show a film; **se passer** to take place; **se passer de** to do without
passif (passive) *adj.* passive
paternel(le) *adj.* paternal, fatherly
patiner to skate
le **patineur** (la **patineuse**) skater
la **patinoire** skating rink
la **patrie** country, homeland

le **patriotisme** patriotism
la **pause-café** coffee break
la **pauvreté** poverty
payant *adj.* charged a toll
payer to pay
le **pays** country, land
le **paysage** countryside
le **paysan** (la **paysanne**) farmer, country person
P.C.V. collect telephone call
la **pêche** fishing; peach
le **pédant** pedant, one who overvalues his (her) learning
la **peine** pain; **peine de mort** capital punishment
peint *p.p. of* **peindre** painted
la **peinture** painting
la **pénalité** penalty (sports)
pendant *prep.* during
la **pendule** clock
pénétrer to penetrate
la **pensée** thought
penser to think
le **penseur** (la **penseuse**) thinker
perdre to lose
le **père** father
perfectionner to improve
périlleux (périlleuse) *adj.* hazardous
permettre to permit
permis *p.p. of* **permettre; le permis de conduire** driver's license
persécuter to persecute
le **personnage** figure; person; role
la **personnalité** personality
la **personne** person
personne *m. pron.* anybody; **personne...ne (ne...personne)** no one
personnel(le) *adj.* personal
la **perspective: perspective d'avenir** prospects for advancement
persuader to persuade
la **perte** loss
la **pétanque** popular French game similar to outdoor bowling
pétillant *adj.* sparkling
petit *adj.* small, little; **le petit**

déjeuner breakfast; les
petits pois *m. pl.* peas
le petit-fils grandson
la petite-fille granddaughter
le pétrole oil
pétrolier (pétrolière) *adj.*
oil-producing
peu *adv.*; **(un) peu** (a) little; few
le peuple people, nation, masses
peut-être perhaps
le pharmacien (la **pharmacienne**)
pharmacist
le phénomène phenomenon
la philosophie philosophy
philosophique *adj.*
philosophical
le photographe photographer
la photographie photo
la phrase sentence
physique *adj.* physical
le physique physique, outward
appearance
physiquement *adv.* physically
la pièce play; piece; **pièce**
d'identité piece of
identification
le pied foot
piétonnier (piétonnière) *adj.*
pedestrian
le pique-nique picnic
pire *adj.* worse
pis *adv.* worse
la piscine swimming pool
la piste ski slope
pittoresque *adj.* picturesque
la place place; plaza; seat
la plage beach
plaire to please
le plaisir pleasure
le plan floorplan; map
plaquer to tackle
plastique *adj.* plastic
le plat dish (of food)
le plâtre plaster
plein (de) full (of); **en plein**
in the midst of; **en plein air**
outdoors
pleurer to cry
pliable *adj.* collapsible

plié *adj.* bent
la plongée diving; dive
la pluie rain
la plupart the majority
plus more; **en plus de** *prep.* in
addition to; **le plus** the
most
plusieurs *adj.* several
plutôt *adv.* rather
pluvieux (pluvieuse) *adj.* rainy
la poche pocket
le poème poem
le poids: poids lourd heavy truck
le point point; **à point** medium
rare; **point de départ**
starting point; **point de vue**
point of view; **un point**
d'avance one point ahead;
un point de retard one
point behind
la pointure shoe, glove, or collar
size
pois: les petits pois *m. pl.* peas
le poisson fish
policier (policière) *adj.* relating
to the police
politique *adj.* political
la politique politics
la Pologne Poland
la pomme apple; **pomme de terre**
potato
ponctuel(le) *adj.* punctual
le pont bridge
populaire *adj.* popular
pornographique *adj.*
pornographic
porter to wear; to carry; **porter**
un toast to make a toast
la pose sitting
poser to ask; **poser sa**
candidature à to apply for
posséder to possess, own
la poste post office
le poste job, post
la postérité posterity
le pot pot, jar
le pouce thumb; inch
le poulet chicken

pour *prep.* for, in order to

le **pour** pros (as in *pros and cons*)

le **pourboire** tip

pour que *conj.* so that

pourquoi *adv.* why

poursuivre to pursue

pousser to push; to encourage

pouvoir to be able; *n., m.*
power

la **pratique** practice; experience

pratiquer to practice

précédent *adj.* preceding

le **précepteur (la préceptrice)** tutor

précis *adj.* precise

préciser to make precise, specify

prédire to predict

préféré *adj.* favorite

préférer to prefer

le **préjugé** prejudice

premier (première) *adj.* first; **de premier plan** leading; **première expérience** previous experience

prendre to take; **prendre note** to take note; **prendre soin** to take care

le **prénom** first name, given name

préparer to prepare; **se préparer** to prepare for oneself; to prepare oneself

près de *prep.* near; **à peu près** nearly

présent *adj.* present; **au présent** presently; in the present tense

présenter to introduce; to present; **se présenter** to present oneself

préserver to preserve

présidé *adj.* presided over

presque *adv.* almost

la **presse** press

presser to press; to rush

prêt (prête) *adj.* ready

la **prétention** expected salary

se **prêter** to lend itself

le **prêtre** priest

la **preuve** proof

la **prévision** prediction

prévoir to foresee

prévu *adj.* planned

prier to pray; to request

la **prière** prayer

primaire *adj.* primary

principalement *adv.* principally

la **priorité** right of way; priority

pris *p.p. of* **prendre**

le **prix** prize; price

le **Prix Nobel** *see index*

probablement *adv.* probably

le **problème** problem

le **procès** trial

prochain *adj.* next

le **producteur (la productrice)** producer

productif (productive) *adj.* productive

le **produit** product; **produit de grande consommation** basic consumer goods (tv, stereo, etc.)

le **professeur** professor

professionnel(le) *adj.* professional

profiter de *adv.* to take advantage of

profondément *adv.* profoundly

la **profondeur** depth

le **programme** program

le **projet** plan, project

la **promenade** walk

se **promener** to go for a walk, ride, row, sail

le **promeneur (la promeneuse)** walker, person on foot

le **pronom** pronoun; **pronom objet** object pronoun

prononcé *adj.* pronounced

la **prononciation** pronunciation

propos: à propos de regarding

proposer to suggest

propre *adj.* own

le, la **propriétaire** owner

la **propriété** property

protecteur (protectrice) *adj.* protecting

le **protecteur (la protectrice)** protector

le protéger to protect
le protestantisme Protestant
religion
protester to protest
prouver to prove
provenir de to come from,
originate from
le proverbe proverb
le proviseur high school principal
les provisions *f. pl.* food
prussien(ne) *adj.* Prussian
la psychologie psychology
le, la psychologue psychologist
pu *p.p. of* pouvoir
le public audience
la publicité advertising, publicity
publier to publish
puis *adv.* then, afterwards
puisque *conj.* because
puissant *adj.* powerful
la pureté purity

Q

le quai platform (train); pier
qualifié *adj.* qualified
la qualité quality
quand *adv.* when
quant à *prep.* as to
la quantité quantity
le quartier neighborhood;
Quartier Latin Latin
Quarter
que *conj.* + *pron.* that; whom;
which
le Québec *see index*
québecois *adj.* from, of Quebec
quel(le) *adj.* + *pron.* what;
which
quelconque *adj.* commonplace,
any
quelque *adj.* some, any;
quelque chose *pron.*
something, anything;
quelque part *adv.*
somewhere
quelques-uns (quelques-unes)
pron., pl. of quelqu'un some

quelqu'un (quelqu'une) *pron.*
someone; anybody
la querelle dispute
qu'est-ce que *pron.* what (object)
qu'est-ce qui *pron.* what
(subject)
qui *pron.* who; which; that
quitter to leave
quoi *pron.* what
quotidien(ne) *adj.* daily
quotidiennement *adv.* daily

R

raconter to tell; to narrate
le radeau raft
le radis radish
rafraîchir to refresh
le raisin grape(s)
la raison reason
raisonnable *adj.* reasonable
se rajeunir to grow young again
ramasser to gather, pick up
ramener to bring (someone)
back
le rancho dude ranch
la randonnée excursion, outing
rangé *adj.* arranged
rapidement *adv.* quickly
se rappeler to remember
la raquette racquet
rarement *adv.* rarely
rassembler to gather together
raté *adj.* ruined
rater to miss; rater son coup
to make an out
ratifié *adj.* ratified
le rayon department (in a store)
rayonnant *adj.* smiling, radiant
le réacteur reactor
réagir to react
réaliser to achieve
le rebondissement rebound
récemment *adv.* recently
la réception reception desk
la recette recipe
recevoir to receive
la recherche research
rechercher to search for

la **réclame** advertisement
recommander to recommend
reconduire to bring back
reconnaître to recognize
reconnu *p.p. of* **reconnaître**
récrire to rewrite
le **recrutement** recruiting
reçu *p.p. of* **recevoir; être reçu à un examen** to pass an exam
le **recueil** anthology, collection
recueillir to collect
reculer to go backwards
récupérer to recover; to salvage
le **rédacteur (la rédactrice)** editor
la **rédaction** composition
redevenu *p.p. of* **redevenir** to become again
rédigé *adj.* drawn up
réel(le) *adj.* real
se **référer à** to refer to
réfléchi *adj.* cautious, wary, thoughtful
réfléchir to think over
le **réfugié (la réfugiée)** refugee
se **réfugier** to take refuge
refuser to refuse
regarder to look at, watch
le **régime** regime, government
la **règle** rule
le **règlement** rules, restrictions
régner to reign
régulièrement *adv.* regularly
la **reine** queen
rejeter to reject
rejoindre to meet; to join
relier to connect
la **religieuse** nun
religieux (religieuse) *adj.* religious
relire to reread
la **remarque** remark
remarquer to notice
remédier to remedy
remplacer to replace
remuer to move around, stir
la **rencontre** encounter
rencontrer to meet
le **rendez-vous** appointment
rendre to give back; to make; **se**

rendre à to go (somewhere); **se rendre compte de** to realize
renforcer to strengthen
Renoir, Auguste *see index*
Renoir, Jean *see index*
renommé *adj.* famous
la **renommée** fame, renown
renoncer à to renounce, to give up
se **renseigner** to inform oneself
la **rentrée** return; **rentrée des classes** reopening of school
rentrer to go or come home; **rentrer dans** to hit (e.g., a car)
réorganisé *adj.* reorganized
le **repas** meal
répéter to repeat
la **répétition** rehearsal
replier to bend
répondre à to answer
la **réponse** answer
le **reportage** reporting
se **reposer** to rest
repousser to push back
représenter to represent
la **reprise** inning
reprocher à to reproach
reproduire to reproduce
la **république** republic (*see index*)
réservé *adj.* reserved
la **réserve** Indian reservation
réserver to reserve
résoudre to solve
respecter to respect
ressembler à to resemble
le **reste** rest; remainder
rester to stay, remain; to be remaining
restructurer to restructure, reorganize
le **résultat** result
rétablir to reestablish
retardement: à retardement delayed-action
retenir to hold back
retourner to return
la **retraite** retreat; retirement

retrouver to rediscover; to also find

se **réunir** to get together

réussir à to succeed

le **rêve** dream

se **réveiller** to wake up

révéler to reveal

revenir to come back

revoir to see again

révolutionnaire *adj.* revolutionary

riche *adj.* rich

Richelieu *see index*

la **richesse** wealth; riches; richness

rigueur: à la rigueur strictly speaking

risquer to risk

la **rivalité** rivalry

la **robe** robe; gown

Rodin, Auguste *see index*

le **roi** king; **Roi-Chevalier** *see index*

romain *adj.* Roman

le **roman** novel

romantique *adj.* romantic

rose *adj.* pink

rôti *adj.* roast(ed)

rouge *adj.* red

rouler to drive along

la **route** highway; **route départementale** county road; **route nationale** state highway

le **royaume** kingdom

rude *adj.* hard, arduous

la **rue** street

russe *adj.* Russian

S

le **sac** bag, sack

le **sacre** coronation

sacré bleu! holy cow!

sage *adj.* wise; well-behaved

saignant *adj.* rare (meat)

Saint Louis *see index*

Saint-Tropez *see index*

la **saison** season

le **salaire** salary

le **salarié (la salariée)** salaried person

le **salé** salted food

la **salle** room; **salle de conférence** lecture hall

le **salon** living room; **salon de coiffure** beauty shop

salut! hi!; so long!

sans *prep.* without

la **santé** health

Sartre, Jean-Paul *see index*

satanique *adj.* satanic

satisfait *adj.* satisfied

la **saucisse de Francfort** hot dog

le **saut** jump

sauter to jump; to fry quickly or sauté

sauvage *adj.* wild

savoir to know (something)

le **scandale** scandal

scandaleux (scandaleuse) *adj.* scandalous

le **scénario** scenario, script

le **scénariste** script writer

la **scènette** scene

scientifique *adj.* scientific

le, la **scientifique** scientist

scolaire *adj.* school

scrupuleux (scrupuleuse) *adj.* scrupulous

sculpter to sculpture; to carve

la **séance** scheduled performance

secondaire *adj.* secondary

le **secours** help, relief; **au secours!** help!

le, la **secrétaire** secretary

le **secteur** sector

la **section** department (at a university)

le **seigneur** lord

sein: au sein de *prep.* in

le **séjour** stay (in a place)

sélectionner to choose

selon *prep.* according to

la **semaine** week

semblable *adj.* similar

sembler to seem

le **sens** direction; meaning; sense

le **sens interdit** one-way street

la	**sensibilité** sensitivity	
	sentir to smell; **se sentir** to feel	
	séparément *adv.* separately	
	séparer to separate	
la	**série** series	
	sérieusement *adv.* seriously	
	sérieux (sérieuse) *adj.* serious	
la	**serveuse** waitress	
la	**serviette** napkin; towel	
	servir to serve; **servir (de)** to serve as; **se servir de** to use, make use of	
	seul *adj.* only; alone; lonely	
	seulement *adv.* only	
le	**shoot** shot (sports)	
	shooter to shoot	
	si if; so	
le	**siècle** century	
le	**sigle** acronym	
	signaler to indicate	
	signifier to signify	
le	**siège** headquarters; siege	
	similaire *adj.* similar	
la	**similitude** similarity	
	simple *adj.* simple; one-way	
	simplement *adv.* simply	
	simplifier to simplify	
la	**sincérité** sincerity	
	situer to locate	
le	**ski** skiing; ski; **ski de fond** cross-country skiing; **ski nautique** waterskiing	
le	**slow** slow dance	
le	**smoking** tuxedo	
le	**snack-bar** cafeteria	
	socialisé *adj.* socialized	
la	**société** society; firm; **société de produits de consommation** maker of consumer goods	
le, la	**sociologue** sociologist	
la	**soeur** sister	
la	**soie** silk	
le	**soir** evening	
la	**soirée** evening; evening outing; evening performance; party	
	soit...soit *conj.* either . . . or	
	solaire *adj.* solar	
le	**soldat** soldier	

	solde: en solde on sale	
le	**soleil** sun; **Roi-Soleil** *see index*	
le	**sommaire** summary	
	somptueux (somptueuse) *adj.* sumptuous	
	son (sa, ses) *adj.* his, her	
le	**son** sound	
	sophistiqué *adj.* sophisticated	
la	**Sorbonne** *see index*	
le	**sort** destiny	
la	**sorte** kind, sort	
la	**sortie** outing, trip; exit	
	sortir to go out; to take out; to come out	
	sot(te) *adj.* silly	
	souhaiter to wish; **souhaiter la bienvenue** to welcome	
	soulever to bring up; to raise	
	souligner to underline	
se	**soumettre** to submit oneself	
	souple *adj.* supple	
	souriant *adj.* smiling	
	sourire to smile; *n., m.* smile	
	sous *prep.* under; **sous référence** with references	
	sous-titré *adj.* subtitled	
le	**souvenir** memory	
se	**souvenir de** to remember	
	souvent *adv.* often	
le	**souverain** sovereign, one having supreme power	
	spatial *adj.* outer space	
	spécialisé *adj.* special; specialized	
la	**spécialité** speciality	
	spécifique *adj.* specific	
le	**spectateur (la spectatrice)** spectator, beholder	
la	**splendeur** splendor	
	spontané *adj.* spontaneous	
	spontanément *adv.* spontaneously	
	sportif (sportive) *adj.* athletic	
le, la	**standardiste** (telephone) operator	
la	**station; station balnéaire** summer resort; **station-service** gas station; **station de ski** ski resort	

la **statistique** statistic
stimulant *adj.* exciting
le **stock** stock, unsold merchandise
Strasbourg *see index*
la **stratégie** strategy
strictement *adv.* strictly
subir to undergo; to suffer
subjectif (subjective) *adj.*
subjective
le **substantif** noun
subventionner to subsidize
succéder à to succeed, follow,
replace
le **succès** success
successivement *adv.*
successively
le **sucré** sweet-tasting food
le **sud** south; **sud-ouest**
southwest
suffisamment *adv.* sufficiently;
enough
suggérer to suggest
se **suicider** to commit suicide
suivant *adj.* following
suivre to follow; to take classes
suivi *p.p. of* **suivre**
le **sujet** subject; **au sujet de** *prep.*
about
la **superficie** area, surface
supérieur *adj.* superior
superstitieux (superstitieuse) *adj.*
superstitious
supporter to bear, tolerate,
stand
sur *prep.* on, about; **sur la
touche** out of bounds
sûr adj. sure
surgelé *adj.* frozen
surhumain *adj.* superhuman
la **surpopulation** overpopulation
surprenant *adj.* surprising
surtout *adv.* especially
surveiller to watch over; to
supervise
suspendre to suspend
le **symbole** symbol
symboliser to symbolize
symétrique *adj.* symmetrical
la **symphonie** symphony

symphonique *adj.* symphonic
le **syndicat** trade union
le **synonyme** synonym
systématiquement *adv.*
systematically
le **système** system

T

le **tableau** painting
la **tâche** task
la **taille** clothing size; waist
le **talon** heel
tant *adv.* so much, so many
tantôt *adv.* sometimes
tard *adv.* late
le **tas** heap
technique *adj.* technical
tel(le) *adj.* such; **tel que** such
as, like
le **télégramme** cable, telegram
téléphoner to phone
le **témoin** witness
la **tempête** storm
le **temps** time; weather; **de temps
en temps** from time to time;
temps-mort time-out
la **tendance** tendency
tendre to hold out; to offer
tendu *adj.* stretched, stiff
tenir: se tenir au courant de to
keep oneself informed about
la **tente** tent
le **terme** term, word
la **terminaison** ending
terminer to finish; **se terminer**
to end
le **terrain: terrain de sport** playing
area, field
la **terre** earth
la **tête** head
le **texte** text; textbook
le **thé** tea
le **théâtre** theater
la **théorie** theory
le **thon** tuna
le **tilleul** herb tea
le **timbre** stamp

le **tir: tir au panier** shot
(basketball)
tiré *adj.* taken, derived
tirer to pull; to derive; to shoot;
tirer à distance to shoot
from a distance
le **titre** title
les **toilettes** *f. pl.* restroom
la **tomate** tomato
le **tombeau** tomb
tomber to fall; **tomber
amoureux (amoureuse)** to
fall in love; **tomber sur** to
stumble on
toucher to touch; to be touching;
toucher un chèque to cash
a check
toujours *adv.* always; ever
la **tour** tower; **Tour Eiffel** *see
index*
le **tour** tour; trip; turn; **à son tour**
in his (her) turn; **Tour de
France** *see index*
touristique *adj.* tourist
tourner to turn; **tourner un film**
to make a film
le **tournoi** tournament
tous *pron.* all; **tous les deux**
pron. both; **tous les deux
ans** every two years
tout *adj.* all, each; **tout à fait**
adv. completely, quite;
tout ce que all that; **tout de
même** just the same; **tout
en** while; **tout le monde**
pron. everybody
tout-terrain *adj.* for all terrains;
véhicule tout-terrain
four-wheel drive vehicle
traditionnellement *adv.*
traditionally
la **traduction** translation
traduire to translate
traduit *p.p. of* **traduire**
la **tragédie** tragedy
le **train: train de vie** lifestyle
le **traité** treaty
traiter de to treat; to deal with

la **tranche** slice; five yards
(football)
la **transformation** extra point
(football)
transformer to transform
le **transport** method of
transportation
le **travail** work
travailler to work
travailleur (travailleuse) *adj.*
hard-working
le **travailleur (la travailleuse)**
worker
travers: à travers through
traverser to cross; to pass
through
très *adv.* very
le **trésor** treasure
le **triomphe** triumph
triste *adj.* sad
troisième *adj.* third; **le troisième
âge** senior citizen
tromper to cheat
la **trompette** trumpet
trop *adv.* too much, too many
le **trophée** trophy
troubler to trouble; to disturb
trouver to find; **se trouver** to
be found
Truffaut, François *see index*
la **truite** trout
tuer to kill
les **Tuileries** *f. pl. see index*
le **tumulte** tumult, trouble
tumultueux (tumultueuse) *adj.*
tumultuous, disturbing
typique *adj.* typical
typiquement *adv.* typically
tyrannique *adj.* tyrannical

U

unique *adj.* only; one-way
uniquement *adv.* only
unir to unite
l' **unité** *f.* branch
universitaire *adj.* university
l' **université** *f.* university

l' urbain *adj.* urban
l' usine *f.* factory
utile *adj.* useful
utiliser to use; s'utiliser to be
    used

V

les vacances *f. pl.* vacation
la vague: nouvelle vague *see index*
la valeur value
la valise suitcase
la vallée valley
valoir to be worth; valoir mieux:
    to be better
la valse waltz
la vanité vanity
varier to vary
la variété variety
vécu *p.p. of* vivre
la vedette celebrity
le véhicule vehicle; véhicule
    tout-terrain
    four-wheel drive vehicle
le vélo bicycle
le vélomoteur motorbike
le velouté smooth, rich soup
le vendeur (la vendeuse) seller
vendre to sell
la vengeance revenge
venir to come; venir de to
    have just
la vente selling; sale; en vente
    for sale
venté *adj.* windy
venu *p.p. of* venir
le verbe verb
vérifier to verify
véritable *adj.* true
la vérité truth
le vermicelle thin noodles
vers *prep.* towards
Versailles *see index*
la version: version originale film
    shown in its original
    language
vert *adj.* green

les vêtements *m. pl.* clothes
le veuf (la veuve) widower
    (widow)
la viande meat
la victoire victory
victorieux (victorieuse) *adj.*
    victorious
la vie life
le vignoble vineyard
la ville city, town
le vin wine
de Vinci, Léonard *see index*
vingtième *adj.* twentieth
viticole *adj.* wine-growing
la visite visit
visiter to visit (a place)
vite *adv.* fast, quickly
la vitesse speed
la vivacité vivacity
vivant *adj.* living
vivre to live; to be alive
le vocabulaire vocabulary
le voeu wish
voici here is (are)
la voie route; track; thoroughfare
le voile veil
voir to see; se voir to be
    noticeable; to be obvious
voisin *adj.* close to, neighboring
la voiture car
la voix voice
le vol flight; robbery
volontaire *adj.* voluntary
le, la volontaire volunteer
volonté: à volonté on demand
voter to vote
votre *adj.* your
vouloir to want; vouloir dire
    to mean
voulu *p.p. of* vouloir
voyager to travel
le voyageur (la voyageuse)
    traveler
la voyelle vowel
vrai *adj.* true
vraiment *adv.* truly
vu *p.p. of* voir
la vue view

W

Waterloo *see index*

les **w.c.** restroom

Y

y *pron.* there; **y compris**
including

le **yaourt** yogurt

les **yeux** *m. pl.* eyes

Z

le **Zaïre** *see index*